# 3학년이 꼭 ✓ 알아야 한 사고력연산

KB118845

## 사고력연산 구성

◎ 1~2학년은 각각 1권씩, 3~6학년은 각각 2권씩으로 구성되어 있습니다.

◎ **개념** 연산의 기초개념과 원리를 다루었습니다.

◎ ( 사고력 기르기 ) **Step 1** 약간의 사고를 필요로 하는 연산 문제를 다루었습니다.

◎ ( 사고력 기르기 ) **Step 2** 좀 더 발전적인 사고를 필요로 하는 연산 문제를 다루었습니다.

◎ ( 실력 점검 ) 한 단원을 마무리하는 문제를 다루었습니다.

## 사고력연산 특징

◉ 연산의 원리를 알고 계산할 수 있도록 구성하였습니다.

◉ 기초 연산 능력을 충분히 키울 수 있도록 구성하였습니다.

◉ 연산 능력과 사고력 향상이 동시에 이루어질 수 있는 문제를 다루었습니다.

◉ 사고를 통해 연산을 하는 과정에서 연산 능력이 저절로 향상될 수 있도록 구성하였습니다.

# 차례

# Contents

# 3 학년이 꼭 ✓ 알아야 한

# 사고력 연산

**저자**

왕수학연구소장 **박명전**
에듀왕부설초등교육연구소장 **김윤수**

- 사고를 통한 연산 능력 증진
- 사고력과 연산 능력 향상의 이중 효과
- 코딩 교육의 기초를 다지는 사고력 향상

www.왕수학.com

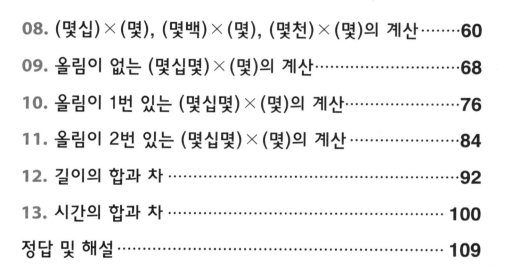

사고력연산
3학년

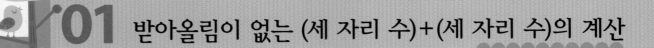
**개념**

• **334+123의 계산**

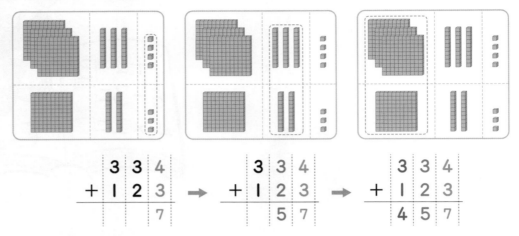

① 각 자리의 숫자를 맞추어 씁니다.

② 일의 자리부터 십, 백의 자리까지 같은 자리끼리 더한 값을 차례로 씁니다.

**수 모형을 보고 계산해 보시오. (01~03)**

**01**

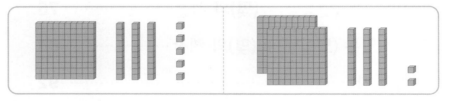

135+232= ☐

**02**

312+245= ☐

**03**

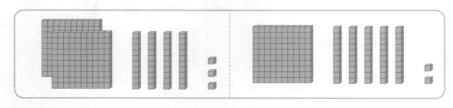

243+152= ☐

□ 안에 알맞은 숫자를 써넣으시오. (04~05)

**04**

$$\begin{array}{r} 2\ 7\ 4 \\ +\ 1\ 2\ 3 \\ \hline \square \end{array}$$ → $$\begin{array}{r} 2\ 7\ 4 \\ +\ 1\ 2\ 3 \\ \hline \square\ \square \end{array}$$ → $$\begin{array}{r} 2\ 7\ 4 \\ +\ 1\ 2\ 3 \\ \hline \square\ \square\ \square \end{array}$$

**05**

$$\begin{array}{r} 5\ 2\ 3 \\ +\ 2\ 5\ 6 \\ \hline \square \end{array}$$ → $$\begin{array}{r} 5\ 2\ 3 \\ +\ 2\ 5\ 6 \\ \hline \square\ \square \end{array}$$ → $$\begin{array}{r} 5\ 2\ 3 \\ +\ 2\ 5\ 6 \\ \hline \square\ \square\ \square \end{array}$$

 계산을 하시오. (06~11)

**06**
$$\begin{array}{r} 1\ 1\ 7 \\ +\ 3\ 5\ 1 \\ \hline \end{array}$$

**07**
$$\begin{array}{r} 2\ 3\ 9 \\ +\ 1\ 5\ 0 \\ \hline \end{array}$$

**08**
$$\begin{array}{r} 3\ 5\ 4 \\ +\ 1\ 2\ 3 \\ \hline \end{array}$$

**09**
$$\begin{array}{r} 3\ 4\ 2 \\ +\ 3\ 5\ 6 \\ \hline \end{array}$$

**10**
$$\begin{array}{r} 1\ 4\ 3 \\ +\ 7\ 3\ 5 \\ \hline \end{array}$$

**11**
$$\begin{array}{r} 4\ 3\ 6 \\ +\ 2\ 5\ 1 \\ \hline \end{array}$$

 계산을 하시오. (12~17)

**12** 254+612

**13** 316+252

**14** 267+121

**15** 143+524

**16** 254+425

**17** 331+146

# 사고력 기르기

□ 안에 알맞은 숫자를 써넣으시오. (01~09)

**01**
```
    5 □ □
  + □ 3 4
  -------
    9 8 6
```

**02**
```
    □ 3 □
  + 4 □ 5
  -------
    5 7 8
```

**03**
```
    □ □ 2
  + 2 1 □
  -------
    6 5 4
```

**04**
```
    6 □ 2
  + □ 3 □
  -------
    8 5 5
```

**05**
```
    □ 3 7
  + 6 □ □
  -------
    9 7 8
```

**06**
```
    4 2 □
  + □ □ 3
  -------
    7 7 7
```

**07**
```
    2 □ 3
  + 3 2 □
  -------
    □ 5 9
```

**08**
```
    □ 6 2
  + 3 □ 4
  -------
    7 8 □
```

**09**
```
    4 1 □
  + □ 5 6
  -------
    6 □ 7
```

두 덧셈식이 성립하도록 ♥, ☆, ▲, ■에 알맞은 숫자를 구하시오. (10~11)

**10**
```
    5 ♥ 1          4 ♥ 4
  + 3 3 ☆        + 2 3 ☆
  -------        -------
    8 7 ▲          6 ■ 9
```
♥ (　　　　　　　)
☆ (　　　　　　　)
▲ (　　　　　　　)
■ (　　　　　　　)

**11**
```
    ♥ 2 3          1 3 ♥
  + 6 ☆ 1        + 5 ☆ 4
  -------        -------
    ▲ 6 4          6 ■ 7
```
♥ (　　　　　　　)
☆ (　　　　　　　)
▲ (　　　　　　　)
■ (　　　　　　　)

덧셈식에서 두 자리 수 ♡☆를 구하시오. (12~15)

**12** ♡☆2+2♡☆=675

( )

**13** ♡☆3+3♡☆=578

( )

**14** ♡☆4+4♡☆=866

( )

**15** ♡☆7+7♡☆=839

( )

 □ 안에 넣을 수 있는 숫자를 모두 구하시오. (16~19)

**16** 253+423<67□  ( )

**17** 311+554<86□  ( )

**18** 321+534>8□4  ( )

**19** 126+632>7□9  ( )

 ♡가 될 수 있는 수 중에 가장 큰 수를 구하시오. (20~23)

**20** 32♡+563<889

( )

**21** 414+25♡<668

( )

**22** 243+3♡5<580

( )

**23** 6♡2+143<796

( )

# 사고력 기르기

 와 같이 한 변에 놓인 세 수의 합이 모두 같도록 빈 곳에 알맞은 수를 써넣으시오.

(01~03)

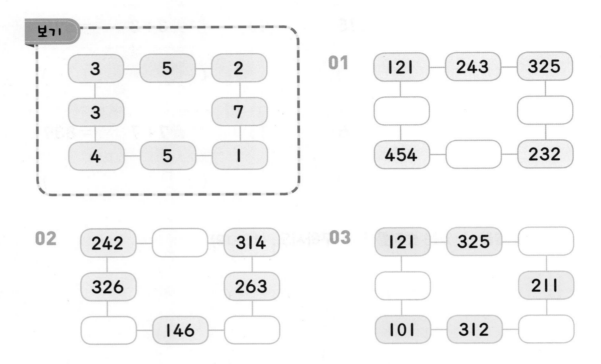

보기

| 3 | — | 5 | — | 2 |
| 3 | | | | 7 |
| 4 | — | 5 | — | 1 |

**01**

| 121 | — | 243 | — | 325 |
| | | | | |
| 454 | — | | — | 232 |

**02**

| 242 | — | | — | 314 |
| 326 | | | | 263 |
| | — | 146 | — | |

**03**

| 121 | — | 325 | — | |
| | | | | 211 |
| 101 | — | 312 | — | |

 와 같이 한 원 안에 있는 수의 합이 주어진 수와 같도록 빈 곳에 알맞은 수를 써넣으시오. (04~06)

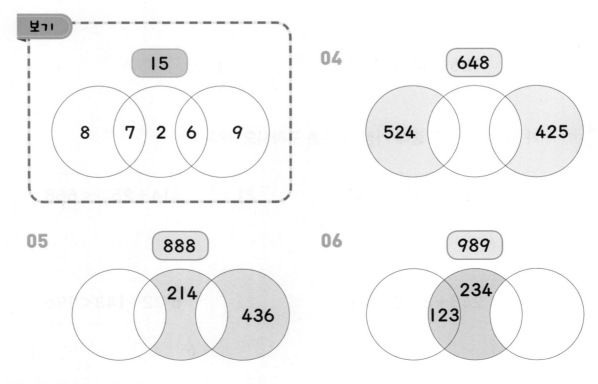

보기

15

8  7  2  6  9

**04**

648

524    425

**05**

888

214  436

**06**

989

234  123

□와 ○ 안에 숫자를 써넣어 여러 가지 덧셈식을 만들어 보시오. (단, ○ 안에 넣을 숫자는 같은 숫자입니다.) (07~08)

**07**

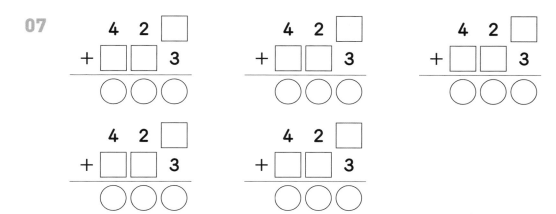

**08**

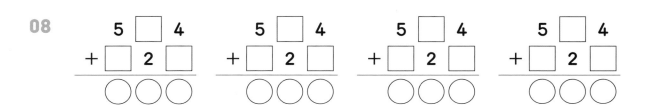

**09** 주어진 덧셈식이 성립할 때 (♡, ▨)를 모두 구하시오.
(단, ♡, ☆, △, ▨는 **7**보다 작은 숫자입니다.)

$$1♡4+☆2△+5▨3=987$$

( ☐ , ☐ )  ( ☐ , ☐ )  ( ☐ , ☐ )  ( ☐ , ☐ )
( ☐ , ☐ )  ( ☐ , ☐ )  ( ☐ , ☐ )

**10** 주어진 덧셈식이 성립할 때 (☆, ▨)를 모두 구하시오.
(단, ♡, ☆, △, ▨는 **7**보다 작은 숫자입니다.)

$$♡23+1☆△+5▨4=879$$

( ☐ , ☐ )  ( ☐ , ☐ )  ( ☐ , ☐ )  ( ☐ , ☐ )
( ☐ , ☐ )  ( ☐ , ☐ )

# 실력 점검

 □ 안에 알맞은 숫자를 써넣으시오. (01~02)

**01**

```
  6 2 5          6 2 5          6 2 5
+ 1 5 3    →   + 1 5 3    →   + 1 5 3
───────        ───────        ───────
      □           □ □          □ □ □
```

**02**

```
  4 3 7          4 3 7          4 3 7
+ 3 2 1    →   + 3 2 1    →   + 3 2 1
───────        ───────        ───────
      □           □ □          □ □ □
```

 계산을 하시오. (03~08)

**03**
```
  1 5 0
+ 2 1 0
───────
```

**04**
```
  4 7 2
+ 1 0 5
───────
```

**05**
```
  6 2 3
+ 2 7 5
───────
```

**06**
```
  4 2 7
+ 2 3 0
───────
```

**07**
```
  7 3 4
+ 2 5 3
───────
```

**08**
```
  8 2 5
+ 1 5 4
───────
```

계산을 하시오. (09~14)

**09**  157+121

**10**  246+132

**11**  335+251

**12**  472+316

**13**  536+253

**14**  724+175

## 실력 점검

♡가 될 수 있는 수 중에 가장 큰 수를 구하시오. (15~18)

15 52♡+263<788

( )

16 622+25♡<877

( )

17 353+3♡5<690

( )

18 6♡2+232<895

( )

덧셈식에서 두 자리 수 ♡☆를 각각 구하시오. (19~22)

19 ♡☆2+2♡☆=796

( )

20 ♡☆3+3♡☆=534

( )

21 ♡☆4+4♡☆=789

( )

22 ♡☆7+7♡☆=927

( )

두 덧셈식이 성립하도록 ♡, ☆, △, □에 알맞은 숫자를 구하시오. (23~24)

23

| | | | |
|---|---|---|---|
| | 4 | ♡ | 1 |
| + | 3 | 3 | ☆ |
| | 7 | 8 | △ |

| | | | |
|---|---|---|---|
| | 4 | ♡ | 5 |
| + | 2 | 3 | ☆ |
| | 6 | □ | 8 |

♡ ( )
☆ ( )
△ ( )
□ ( )

24

| | | | |
|---|---|---|---|
| | ♡ | 2 | 3 |
| + | 1 | ☆ | 2 |
| | △ | 8 | 5 |

| | | | |
|---|---|---|---|
| | 2 | 3 | ♡ |
| + | 5 | ☆ | 3 |
| | 7 | □ | 7 |

♡ ( )
☆ ( )
△ ( )
□ ( )

# 02 받아내림이 없는 (세 자리 수)−(세 자리 수)의 계산

- **348−125의 계산**

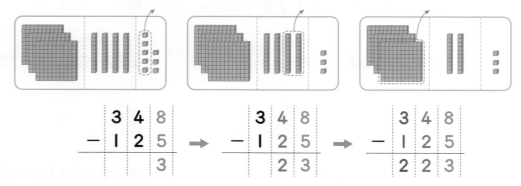

$$
\begin{array}{r} 3\ 4\ 8 \\ -\ 1\ 2\ 5 \\ \hline 3 \end{array}
\Rightarrow
\begin{array}{r} 3\ 4\ 8 \\ -\ 1\ 2\ 5 \\ \hline 2\ 3 \end{array}
\Rightarrow
\begin{array}{r} 3\ 4\ 8 \\ -\ 1\ 2\ 5 \\ \hline 2\ 2\ 3 \end{array}
$$

① 각 자리의 숫자를 맞추어 씁니다.
② 일의 자리부터 십, 백의 자리까지 같은 자리끼리 뺀 값을 차례로 씁니다.

 **수 모형을 보고 계산해 보시오. (01~02)**

**01**

$325-113=\boxed{\phantom{000}}$

**02**

$357-235=\boxed{\phantom{000}}$

 **그림을 보고 계산해 보시오. (03~04)**

**03**

$234-122=\boxed{\phantom{000}}$

**04**

$283-142=\boxed{\phantom{000}}$

□ 안에 알맞은 숫자를 써넣으시오. (05~06)

**05**

```
      6 2 5            6 2 5            6 2 5
  －   2 1 3    →   －   2 1 3    →   －   2 1 3
  ─────────        ─────────        ─────────
          □              □ □            □ □ □
```

**06**

```
      5 7 9            5 7 9            5 7 9
  －   3 5 7    →   －   3 5 7    →   －   3 5 7
  ─────────        ─────────        ─────────
          □              □ □            □ □ □
```

 계산을 하시오. (07~12)

**07**
```
    5 4 2
  － 1 3 0
  ───────
```

**08**
```
    6 3 7
  － 5 1 2
  ───────
```

**09**
```
    7 6 8
  － 3 5 6
  ───────
```

**10**
```
    7 9 8
  － 5 3 6
  ───────
```

**11**
```
    8 5 6
  － 3 2 5
  ───────
```

**12**
```
    9 9 7
  － 7 8 4
  ───────
```

 계산을 하시오. (13~18)

**13** 987－155

**14** 674－342

**15** 438－315

**16** 869－237

**17** 896－583

**18** 985－364

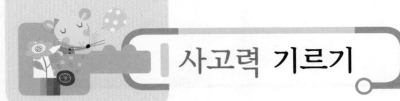

# 사고력 기르기

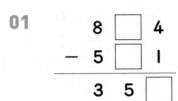 **Step 1**

 □ 안에 숫자를 써넣어 여러 가지 뺄셈식을 만들어 보시오. (01~02)

**01**

```
  8 □ 4        8 □ 4        8 □ 4
-   5 □ 1    -   5 □ 1    -   5 □ 1
  3 5 □        3 5 □        3 5 □
```

```
  8 □ 4        8 □ 4
-   5 □ 1    -   5 □ 1
  3 5 □        3 5 □
```

**02**

```
  7 6 □       7 6 □       7 6 □       7 6 □
- 4 3 □     - 4 3 □     - 4 3 □     - 4 3 □
  □ 3 3       □ 3 3       □ 3 3       □ 3 3
```

```
  7 6 □       7 6 □       7 6 □
- 4 3 □     - 4 3 □     - 4 3 □
  □ 3 3       □ 3 3       □ 3 3
```

 두 뺄셈식이 성립하도록 ☆, △, ♥, ■에 알맞은 숫자를 구하시오. (03~04)

**03**

```
    7 ♥ 6            ♥ 8 8
  -   2 4 ☆        -   ■ 5 ☆
      5 3 △            2 3 6
```

☆ (          )
△ (          )
♥ (          )
■ (          )

**04**

```
    ♥ 7 4            5 ♥ 3
  -   2 ☆ 1        -   1 ■ ☆
      4 △ 3            4 3 1
```

☆ (          )
△ (          )
♥ (          )
■ (          )

05 주어진 세 자리 수의 **뺄셈식**에서 가>나>다>라>마>바입니다. 이와 같은 조건대로 차가 **333**인 여러 가지 **뺄셈식**을 만들어 보시오.

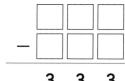

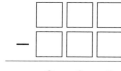

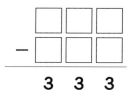

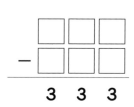

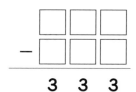

 주어진 조건을 보고 차를 구하시오. (06~08)

06
$$858 - ♥ - ♥ = 414 \qquad ■ - ♥ = 351 \qquad △ - ■ = 426$$

$$△ - ♥ = \boxed{\phantom{00}}$$

07
$$648 - ♥ - ♥ = 426 \qquad ☆ + ♥ = 454 \qquad ■ - ☆ = 525$$

$$■ - ♥ = \boxed{\phantom{00}}$$

08
$$799 - ♥ - ♥ = 133 \qquad △ - 254 = ♥ \qquad ■ - △ = 102$$

$$■ - ♥ = \boxed{\phantom{00}}$$

 주어진 뺄셈식이 성립할 때, 세 자리 수 ♥☆▲은 얼마인지 구하시오. (01~04)

01 ♥♥5－3☆☆＝▲5l 　　　♥☆▲＝[　　]

02 ♥♥3－3☆☆＝▲4l 　　　♥☆▲＝[　　]

03 ☆☆4－4♥♥＝▲3l 　　　♥☆▲＝[　　]

04 ☆☆7－6♥♥＝▲75 　　　♥☆▲＝[　　]

 보기 를 참고하여 ☆이 될 수 있는 자연수 중 가장 큰 수를 구하시오. (단, ㉮＜㉯입니다.) (05~08)

위 수직선에서 ㉮＜㉯일 때 ㉮＋㉯＝9－2＝7입니다.
7＝l＋6 또는 7＝2＋5 또는 7＝3＋4이므로 ㉮＝3일 때 ☆이 가장 큽니다.
따라서 ☆＝2＋3＝5입니다.

05
( 　　　　　　)

06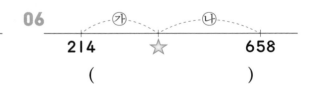
( 　　　　　　)

07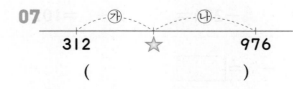
( 　　　　　　)

08
( 　　　　　　)

09  다음은 받아내림이 없는 뺄셈식입니다. ♥=☆+1, ☆=△+1일 때 조건에
    맞는 여러 가지 뺄셈식을 만들어 보시오.

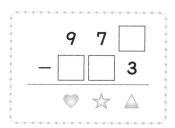

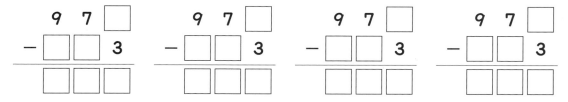

다음은 받아내림이 없는 뺄셈식입니다. 뺄셈식이 성립하도록 빈칸에 알맞은 숫자를
써넣고 구한 방법을 설명하시오. (10~11)

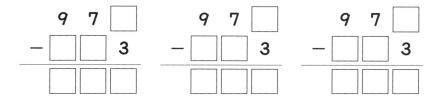

# 실력 점검

 □ 안에 알맞은 숫자를 써넣으시오. (01~02)

01
```
    4 5 7          4 5 7          4 5 7
  - 1 2 5   →    - 1 2 5   →    - 1 2 5
  ───────        ───────        ───────
        □            □ □          □ □ □
```

02
```
    6 5 8          6 5 8          6 5 8
  - 2 3 6   →    - 2 3 6   →    - 2 3 6
  ───────        ───────        ───────
        □            □ □          □ □ □
```

 계산을 하시오. (03~08)

03
```
    5 3 2
  - 1 2 0
```

04
```
    6 7 5
  - 3 2 5
```

05
```
    7 8 9
  - 5 2 7
```

06
```
    8 3 5
  - 5 2 3
```

07
```
    9 8 7
  - 5 7 6
```

08
```
    6 8 7
  - 1 5 6
```

 계산을 하시오. (09~14)

09   345-123

10   478-357

11   625-114

12   869-518

13   497-273

14   984-513

 주어진 조건을 보고 차를 구하시오. (15~17)

**15**

$$767 - ♥ - ♥ = 323 \qquad ■ - ♥ = 142 \qquad △ - ■ = 324$$

$$△ - ♥ = \boxed{\phantom{000}}$$

**16**

$$448 - ♥ - ♥ = 226 \qquad ☆ + ♥ = 335 \qquad ■ - ☆ = 445$$

$$■ - ♥ = \boxed{\phantom{000}}$$

**17**

$$887 - ♥ - ♥ = 221 \qquad △ - 213 = ♥ \qquad ■ - △ = 301$$

$$■ - ♥ = \boxed{\phantom{000}}$$

 다음은 받아내림이 없는 뺄셈식입니다. 뺄셈식이 성립하도록 빈칸에 숫자를 써넣고 구한
방법을 설명하시오. (18~19)

**18**

$$
\begin{array}{cccc}
  & ♥ & \boxed{\phantom{0}} & 9 \\
- & 4 & ♥ & 5 \\
\hline
  & ☆ & 1 & ☆ \\
\end{array}
$$
→

**19**

$$
\begin{array}{cccc}
  & ☆ & ☆ & 5 \\
- & ♥ & \boxed{\phantom{0}} & 2 \\
\hline
  & 3 & 4 & ♥ \\
\end{array}
$$
→

**개념**

• **247+125의 계산**

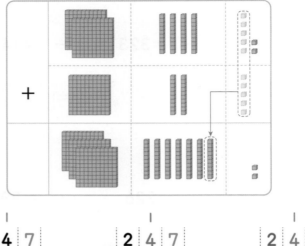

$$\begin{array}{r} 2\ 4\ 7 \\ +\ 1\ 2\ 5 \\ \hline 2 \end{array} \rightarrow \begin{array}{r} 2\ 4\ 7 \\ +\ 1\ 2\ 5 \\ \hline 7\ 2 \end{array} \rightarrow \begin{array}{r} 2\ 4\ 7 \\ +\ 1\ 2\ 5 \\ \hline 3\ 7\ 2 \end{array}$$

① 각 자리의 숫자를 맞추어 씁니다.
② 일, 십, 백의 자리 순서로 계산을 합니다.
③ 받아올림이 있으면 바로 윗 자리에 받아올려 계산합니다.

 수 모형을 보고 계산해 보시오. (01~02)

**01**

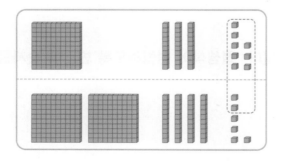

138+246=□

**02**

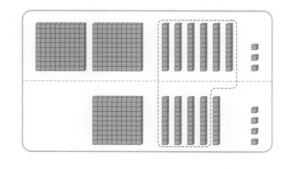

263+154=□

□ 안에 알맞은 숫자를 써넣으시오. (03~04)

**03**

```
  □              □              □
  2 7 8          2 7 8          2 7 8
+ 3 1 6    →   + 3 1 6    →   + 3 1 6
      □          □ □          □ □ □
```

**04**

```
                 □              □
  3 6 5          3 6 5          3 6 5
+ 2 8 4    →   + 2 8 4    →   + 2 8 4
      □          □ □          □ □ □
```

 계산을 하시오. (05~10)

**05**
```
  2 6 7
+ 1 2 8
```

**06**
```
  6 4 5
+ 2 3 9
```

**07**
```
  3 6 9
+ 2 2 7
```

**08**
```
  5 9 7
+ 2 5 0
```

**09**
```
  4 8 2
+ 2 5 6
```

**10**
```
  3 8 6
+ 5 2 3
```

 계산을 하시오. (11~16)

**11** 247+126

**12** 546+291

**13** 619+157

**14** 261+357

**15** 426+218

**16** 543+396

# 사고력 기르기

□ 안에 알맞은 숫자를 써넣으시오. (01~09)

01
```
    6 □ □
  + □ 5 7
  -------
    9 8 2
```

02
```
    □ 3 □
  + 2 □ 8
  -------
    5 7 4
```

03
```
    □ □ 7
  + 3 4 □
  -------
    6 7 1
```

04
```
    2 □ 3
  + □ 8 6
  -------
    8 5 □
```

05
```
    4 9 □
  + 3 □ 4
  -------
    □ 5 7
```

06
```
    □ 5 3
  + 4 □ 6
  -------
    9 3 □
```

07
```
    2 □ 7
  + □ 4 □
  ---------
  1 1 9 8
```

08
```
    □ 2 5
  + 6 □ 3
  ---------
  1 3 6 □
```

09
```
    □ 4 □
  + 5 2 6
  ---------
  1 4 □ 9
```

두 덧셈식이 성립하도록 ♥, ☆, △, ■에 알맞은 숫자를 구하시오. (10~11)

10
```
    2 ♥ 9          3 ♥ 6
  + 1 2 ☆        + 4 3 ☆
  -------        -------
    3 6 △          7 ■ 1
```
♥ (          )
☆ (          )
△ (          )
■ (          )

11
```
    ♥ 8 4          ♥ 6 3
  + 2 ☆ 3        + 3 ☆ 5
  -------        -------
    7 △ 7          ■ 3 8
```
♥ (          )
☆ (          )
△ (          )
■ (          )

주어진 덧셈식이 성립할 때 각각의 모양이 나타내는 숫자를 구하시오. (12~16)

**12**

```
    4  2  4
+   ♥  ♥  ☆
─────────────
    ■  ☆  2
```
→ ☆ = ☐    ♥ = ☐    ■ = ☐

**13**

```
    5  3  6
+   ♥  ♥  ☆
─────────────
    ■  ☆  3
```
→ ☆ = ☐    ♥ = ☐    ■ = ☐

**14**

```
    3  8  4
+   ♥  ♥  ☆
─────────────
    ■  ☆  7
```
→ ☆ = ☐    ♥ = ☐    ■ = ☐

**15**

```
    ♥  ♥  ☆
+   ☆  9  2
─────────────
    ■  ☆  5
```
→ ☆ = ☐    ♥ = ☐    ■ = ☐

**16**

```
    ♥  ♥  ☆
+   ☆  1  2
─────────────
 △  ■  8  7
```
→ ☆ = ☐    ♥ = ☐    ■ = ☐    △ = ☐

# 사고력 기르기

 다음 덧셈식에서 가, 나, 다는 3부터 7까지의 자연수 중 서로 다른 수입니다. 물음에 답하시오. (01~02)

$$219 + 가나다 = ♡△☆$$

**01** 세 자리 수 ♡△☆이 될 수 있는 수 중 가장 작은 수를 구하시오.

( )

**02** 세 자리 수 ♡△☆이 될 수 있는 수 중 가장 큰 수를 구하시오.

( )

 1부터 9까지의 숫자가 모두 사용된 덧셈식이 되도록 빈칸을 채워 보시오. (03~04)

**03**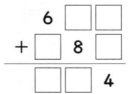

**04**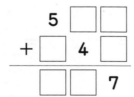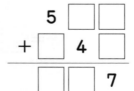

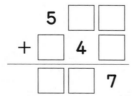 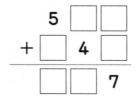

주어진 덧셈식은 받아올림이 한 번 있는 세 자리 수의 덧셈식입니다. ♡<△<☆일 때
□ 안에 알맞은 숫자를 써넣어 여러 가지 덧셈식을 만들어 보시오. (05~07)

**05**

```
   1  2  3
+  ♡  △  ☆
─────────
   6  □  □
```
→
```
   1  2  3
+  □  □  □
─────────
   6  □  □
```
```
   1  2  3
+  □  □  □
─────────
   6  □  □
```
```
   1  2  3
+  □  □  □
─────────
   6  □  □
```

**06**

```
   3  7  4
+  ♡  △  ☆
─────────
   □  □  9
```
→
```
   3  7  4
+  □  □  □
─────────
   □  □  9
```
```
   3  7  4
+  □  □  □
─────────
   □  □  9
```
```
   3  7  4
+  □  □  □
─────────
   □  □  9
```

```
   3  7  4
+  □  □  □
─────────
   □  □  9
```
```
   3  7  4
+  □  □  □
─────────
   □  □  9
```

**07**

```
   8  3  4
+  ♡  △  ☆
─────────
   □  □  □  □
```
→
```
   8  3  4
+  □  □  □
─────────
   □  □  □  □
```
```
   8  3  4
+  □  □  □
─────────
   □  □  □  □
```

```
   8  3  4
+  □  □  □
─────────
   □  □  □  □
```
```
   8  3  4
+  □  □  □
─────────
   □  □  □  □
```

# 실력 점검

 □ 안에 알맞은 숫자를 써넣으시오. (01~02)

**01**

$$
\begin{array}{r}
\phantom{+}3\ 5\ 7 \\
+\ 2\ 2\ 5 \\
\hline
\end{array}
\quad\Rightarrow\quad
\begin{array}{r}
\phantom{+}3\ 5\ 7 \\
+\ 2\ 2\ 5 \\
\hline
\end{array}
\quad\Rightarrow\quad
\begin{array}{r}
\phantom{+}3\ 5\ 7 \\
+\ 2\ 2\ 5 \\
\hline
\end{array}
$$

**02**

$$
\begin{array}{r}
\phantom{+}4\ 6\ 2 \\
+\ 2\ 8\ 5 \\
\hline
\end{array}
\quad\Rightarrow\quad
\begin{array}{r}
\phantom{+}4\ 6\ 2 \\
+\ 2\ 8\ 5 \\
\hline
\end{array}
\quad\Rightarrow\quad
\begin{array}{r}
\phantom{+}4\ 6\ 2 \\
+\ 2\ 8\ 5 \\
\hline
\end{array}
$$

 계산을 하시오. (03~08)

**03**
$$
\begin{array}{r}
1\ 5\ 7 \\
+\ 2\ 1\ 9 \\
\hline
\end{array}
$$

**04**
$$
\begin{array}{r}
5\ 7\ 2 \\
+\ 2\ 1\ 8 \\
\hline
\end{array}
$$

**05**
$$
\begin{array}{r}
4\ 6\ 7 \\
+\ 1\ 2\ 9 \\
\hline
\end{array}
$$

**06**
$$
\begin{array}{r}
2\ 8\ 5 \\
+\ 3\ 5\ 2 \\
\hline
\end{array}
$$

**07**
$$
\begin{array}{r}
6\ 9\ 7 \\
+\ 1\ 3\ 2 \\
\hline
\end{array}
$$

**08**
$$
\begin{array}{r}
4\ 8\ 5 \\
+\ 3\ 7\ 2 \\
\hline
\end{array}
$$

 계산을 하시오. (09~14)

**09** 246+124

**10** 375+192

**11** 518+275

**12** 681+197

**13** 634+358

**14** 463+376

 주어진 덧셈식이 성립할 때 각각의 모양이 나타내는 숫자를 구하시오. (15~17)

**15**

$$
\begin{array}{ccc}
 & 2 & 3 & 5 \\
+ & ♥ & ♥ & ☆ \\
\hline
 & ■ & ☆ & 2
\end{array}
$$

➡ ☆ = □   ♥ = □   ■ = □

**16**

$$
\begin{array}{ccc}
 & 4 & 9 & 4 \\
+ & ♥ & ♥ & ☆ \\
\hline
 & ■ & ☆ & 6
\end{array}
$$

➡ ☆ = □   ♥ = □   ■ = □

**17**

$$
\begin{array}{ccc}
 & ♥ & ♥ & ☆ \\
+ & ☆ & 2 & 3 \\
\hline
 △ & ■ & 8 & 7
\end{array}
$$

➡ ☆ = □   ♥ = □   ■ = □   △ = □

 두 덧셈식이 성립하도록 ♥, ☆, △, ■에 알맞은 숫자를 구하시오. (18~19)

**18**

$$
\begin{array}{ccc}
 & 3 & ♥ & 9 \\
+ & 1 & 4 & ☆ \\
\hline
 & 4 & 6 & △
\end{array}
\qquad
\begin{array}{ccc}
 & 3 & ♥ & 5 \\
+ & 4 & 5 & ☆ \\
\hline
 & 7 & ■ & 1
\end{array}
$$

♥ (        )
☆ (        )
△ (        )
■ (        )

**19**

$$
\begin{array}{ccc}
 & ♥ & 4 & 2 \\
+ & 2 & ☆ & 7 \\
\hline
 & 7 & △ & 9
\end{array}
\qquad
\begin{array}{ccc}
 & ♥ & 5 & 3 \\
+ & 4 & ☆ & 2 \\
\hline
 ■ & 3 & 5
\end{array}
$$

♥ (        )
☆ (        )
△ (        )
■ (        )

# 04 받아내림이 1번 있는 (세 자리 수)−(세 자리 수)의 계산

개념

• 364−126의 계산

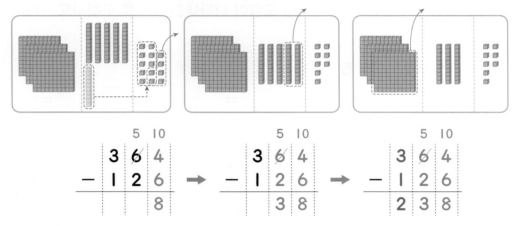

① 각 자리의 숫자를 맞추어 씁니다.
② 일, 십, 백의 자리 순서로 계산을 합니다.
③ 같은 자리끼리 뺄 수 없으면 바로 윗 자리에서 받아내려 계산합니다.

 **수 모형을 보고 계산해 보시오. (01~02)**

**01**

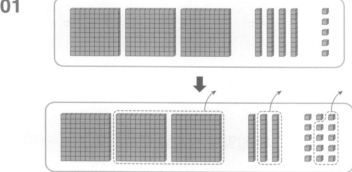

$$\begin{array}{r} 3\ 4\ 5 \\ -\ 2\ 2\ 9 \\ \hline \end{array}$$

**02**

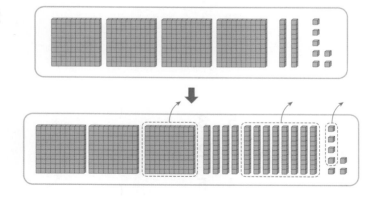

$$\begin{array}{r} 4\ 2\ 7 \\ -\ 1\ 8\ 4 \\ \hline \end{array}$$

□ 안에 알맞은 수를 써넣으시오. (03~04)

**03**

$$
\begin{array}{r}
\Box\ \Box \\
5\ \cancel{7}\ 6 \\
-\ 2\ 4\ 8 \\
\hline
\Box
\end{array}
\quad\Rightarrow\quad
\begin{array}{r}
\Box\ \Box \\
5\ \cancel{7}\ 6 \\
-\ 2\ 4\ 8 \\
\hline
\Box\ \Box
\end{array}
\quad\Rightarrow\quad
\begin{array}{r}
\Box\ \Box \\
5\ \cancel{7}\ 6 \\
-\ 2\ 4\ 8 \\
\hline
\Box\ \Box\ \Box
\end{array}
$$

**04**

$$
\begin{array}{r}
6\ 2\ 9 \\
-\ 3\ 5\ 7 \\
\hline
\Box
\end{array}
\quad\Rightarrow\quad
\begin{array}{r}
\Box\ \Box \\
\cancel{6}\ 2\ 9 \\
-\ 3\ 5\ 7 \\
\hline
\Box\ \Box
\end{array}
\quad\Rightarrow\quad
\begin{array}{r}
\Box\ \Box \\
\cancel{6}\ 2\ 9 \\
-\ 3\ 5\ 7 \\
\hline
\Box\ \Box\ \Box
\end{array}
$$

 계산을 하시오. (05~10)

**05**
$$
\begin{array}{r}
6\ 2\ 3 \\
-\ 2\ 0\ 7 \\
\hline
\end{array}
$$

**06**
$$
\begin{array}{r}
5\ 9\ 2 \\
-\ 3\ 2\ 8 \\
\hline
\end{array}
$$

**07**
$$
\begin{array}{r}
6\ 4\ 2 \\
-\ 1\ 2\ 9 \\
\hline
\end{array}
$$

**08**
$$
\begin{array}{r}
7\ 1\ 5 \\
-\ 3\ 7\ 2 \\
\hline
\end{array}
$$

**09**
$$
\begin{array}{r}
8\ 0\ 7 \\
-\ 4\ 2\ 5 \\
\hline
\end{array}
$$

**10**
$$
\begin{array}{r}
3\ 3\ 5 \\
-\ 1\ 7\ 3 \\
\hline
\end{array}
$$

 계산을 하시오. (11~16)

**11** $976-527$

**12** $685-392$

**13** $431-215$

**14** $526-155$

**15** $925-416$

**16** $734-273$

 □ 안에 알맞은 숫자를 써넣으시오. (01~12)

01
```
    7 □ 2
  - 4 6 3
  ───────
    □ 1 □
```

02
```
    5 6 4
  - 1 □ 6
  ───────
    □ 3 □
```

03
```
    8 5 □
  - □ 1 9
  ───────
    6 □ 4
```

04
```
    6 □ 5
  - 3 4 □
  ───────
    □ 2 8
```

05
```
    □ □ 6
  - 5 2 □
  ───────
    4 1 7
```

06
```
    7 5 □
  - 2 □ 9
  ───────
    □ 2 6
```

07
```
    6 □ 9
  - 2 6 □
  ───────
    □ 9 6
```

08
```
    5 1 □
  - 1 □ 4
  ───────
    □ 3 2
```

09
```
    8 □ 5
  - □ 5 1
  ───────
    3 7 □
```

10
```
    □ 3 4
  - 2 □ 2
  ───────
    6 4 □
```

11
```
    7 □ 4
  - 2 7 □
  ───────
    □ 9 0
```

12
```
    □ 5 □
  - 6 □ 4
  ───────
    1 6 3
```

 주어진 뺄셈식이 성립할 때 ♥, ▲, ☆이 나타내는 숫자를 구하시오. (13~14)

13 $65♥ - 3▲8 = ☆26$ 　 ♥ = □ 　 ▲ = □ 　 ☆ = □

14 $♥27 - 2▲3 = 53☆$ 　 ♥ = □ 　 ▲ = □ 　 ☆ = □

주어진 식에서 □ 안에 넣을 수 있는 숫자를 모두 구하시오. (15~18)

**15**  563−12□<438  (                    )

**16**  754−23□<518  (                    )

**17**  827−3□2>475  (                    )

**18**  916−5□3>373  (                    )

 주어진 조건을 보고 ♡와 △가 나타내는 수를 구하시오. (19~20)

**19**  652−♡−♡=208    ♡−119=△

♡=  [            ]    △=  [            ]

**20**  927−♡−♡=261    ♡−150=△

♡=  [            ]    △=  [            ]

🌸 주어진 뺄셈식이 성립할 때, 세 자리 수 ♡☆△은 얼마인지 구하시오. (01~04)

**01**

```
   6  ♡  ♡
-  ☆  ☆  7
─────────
   4  1  △
```

♡☆△ = ☐

**02**

```
   8  ♡  ♡
-  ☆  ☆  6
─────────
   5  1  △
```

♡☆△ = ☐

**03**

```
   ♡  ♡  8
-  2  ☆  ☆
─────────
   1  8  △
```

♡☆△ = ☐

**04**

```
   ♡  ♡  9
-  1  ☆  ☆
─────────
   3  8  △
```

♡☆△ = ☐

🌸 1부터 9까지의 숫자가 모두 사용된 뺄셈식이 되도록 빈칸을 채워 보시오. (05~06)

**05**

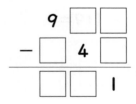   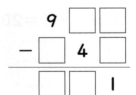

**06**

주어진 식은 받아내림이 한 번 있는 뺄셈식입니다. 조건에 맞는 여러 가지 뺄셈식을 만들어 보시오. (단, 서로 다른 모양은 서로 다른 숫자입니다.) (07~10)

**07**

$$
\begin{array}{r}
5\ \ 8\ \ \heartsuit \\
-\ \ \bigstar\ \ 3\ \ 6 \\
\hline
3\ \ \triangle\ \ \blacksquare
\end{array}
$$

→

$$
\begin{array}{r}
5\ \ 8\ \ \square \\
-\ \ \square\ \ 3\ \ 6 \\
\hline
3\ \ \square\ \ \square
\end{array}
\qquad
\begin{array}{r}
5\ \ 8\ \ \square \\
-\ \ \square\ \ 3\ \ 6 \\
\hline
3\ \ \square\ \ \square
\end{array}
\qquad
\begin{array}{r}
5\ \ 8\ \ \square \\
-\ \ \square\ \ 3\ \ 6 \\
\hline
3\ \ \square\ \ \square
\end{array}
$$

**08**

$$
\begin{array}{r}
6\ \ 5\ \ \heartsuit \\
-\ \ \bigstar\ \ 2\ \ 7 \\
\hline
2\ \ \triangle\ \ \blacksquare
\end{array}
$$

→

$$
\begin{array}{r}
6\ \ 5\ \ \square \\
-\ \ \square\ \ 2\ \ 7 \\
\hline
2\ \ \square\ \ \square
\end{array}
\qquad
\begin{array}{r}
6\ \ 5\ \ \square \\
-\ \ \square\ \ 2\ \ 7 \\
\hline
2\ \ \square\ \ \square
\end{array}
$$

$$
\begin{array}{r}
6\ \ 5\ \ \square \\
-\ \ \square\ \ 2\ \ 7 \\
\hline
2\ \ \square\ \ \square
\end{array}
\qquad
\begin{array}{r}
6\ \ 5\ \ \square \\
-\ \ \square\ \ 2\ \ 7 \\
\hline
2\ \ \square\ \ \square
\end{array}
$$

**09**

$$
\begin{array}{r}
\heartsuit\ \ 5\ \ 9 \\
-\ \ 3\ \ \bigstar\ \ \triangle \\
\hline
5\ \ \blacksquare\ \ 6
\end{array}
$$

→

$$
\begin{array}{r}
\square\ \ 5\ \ 9 \\
-\ \ 3\ \ \square\ \ \square \\
\hline
5\ \ \square\ \ 6
\end{array}
\qquad
\begin{array}{r}
\square\ \ 5\ \ 9 \\
-\ \ 3\ \ \square\ \ \square \\
\hline
5\ \ \square\ \ 6
\end{array}
$$

**10**

$$
\begin{array}{r}
\heartsuit\ \ 3\ \ 5 \\
-\ \ 2\ \ \bigstar\ \ \triangle \\
\hline
4\ \ \blacksquare\ \ 3
\end{array}
$$

→

$$
\begin{array}{r}
\square\ \ 3\ \ 5 \\
-\ \ 2\ \ \square\ \ \square \\
\hline
4\ \ \square\ \ 3
\end{array}
\qquad
\begin{array}{r}
\square\ \ 3\ \ 5 \\
-\ \ 2\ \ \square\ \ \square \\
\hline
4\ \ \square\ \ 3
\end{array}
$$

$$
\begin{array}{r}
\square\ \ 3\ \ 5 \\
-\ \ 2\ \ \square\ \ \square \\
\hline
4\ \ \square\ \ 3
\end{array}
\qquad
\begin{array}{r}
\square\ \ 3\ \ 5 \\
-\ \ 2\ \ \square\ \ \square \\
\hline
4\ \ \square\ \ 3
\end{array}
$$

 ☐ 안에 알맞은 수를 써넣으시오. (01~02)

**01**

```
      □ □
   3  5̷  2
 - 1  2  4
          □
```
→
```
      □ □
   3  5̷  2
 - 1  2  4
      □  □
```
→
```
      □ □
   3  5̷  2
 - 1  2  4
   □  □  □
```

**02**

```
   7  4  8
 - 3  5  7
          □
```
→
```
      □ □
   7̷  4  8
 - 3  5  7
      □  □
```
→
```
      □ □
   7̷  4  8
 - 3  5  7
   □  □  □
```

 계산을 하시오. (03~08)

**03**
```
   2 5 7
 - 1 3 8
```

**04**
```
   6 7 5
 - 3 5 7
```

**05**
```
   9 4 3
 - 7 2 9
```

**06**
```
   4 3 6
 - 2 7 5
```

**07**
```
   6 4 7
 - 3 9 2
```

**08**
```
   9 4 8
 - 6 7 5
```

 계산을 하시오. (09~14)

**09** 852−237

**10** 425−192

**11** 694−578

**12** 537−255

**13** 751−248

**14** 926−395

**□ 안에 알맞은 수를 써넣으시오. (15~23)**

15
```
    7 □ 3
  - 5 6 6
  ─────────
    □ 2 □
```

16
```
    5 6 4
  - 2 □ 9
  ─────────
    □ 3 □
```

17
```
    9 5 □
  - □ 1 8
  ─────────
    7 □ 4
```

18
```
    8 □ 5
  - 3 4 □
  ─────────
    □ 2 9
```

19
```
    □ □ 6
  - 5 2 □
  ─────────
    4 3 8
```

20
```
    6 4 □
  - 2 □ 8
  ─────────
    □ 1 7
```

21
```
    6 □ 8
  - 2 7 □
  ─────────
    □ 9 5
```

22
```
    7 2 □
  - 1 □ 4
  ─────────
    □ 4 2
```

23
```
    7 □ 9
  - □ 6 1
  ─────────
    2 7 □
```

**주어진 뺄셈식이 성립할 때 ♥, △, ☆이 나타내는 숫자를 구하시오. (24~25)**

24   68♥ − 2△7 = ☆49     ♥=□   △=□   ☆=□

25   ♥38 − 3△3 = 35☆     ♥=□   △=□   ☆=□

**주어진 뺄셈식이 성립할 때, 세 자리 수 ♥☆△은 얼마인지 구하시오. (26~27)**

26
```
    7 ♥ ♥
  - ☆ ☆ 8
  ─────────
    4 1 △
```
♥☆△ = □

27
```
    9 ♥ ♥
  - ☆ ☆ 5
  ─────────
    7 0 △
```
♥☆△ = □

# 05 받아올림이 2번 이상 있는 (세 자리 수)+(세 자리 수)의 계산

**개념**

## 1. 받아올림이 2번 있는 덧셈

· 267+156의 계산

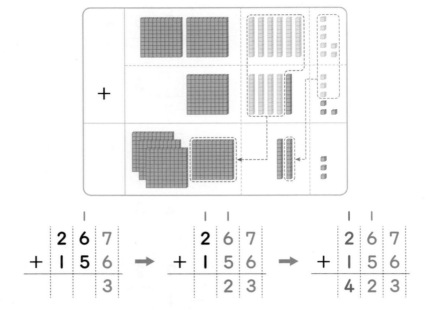

$$
\begin{array}{r} 2\ 6\ 7 \\ +\ 1\ 5\ 6 \\ \hline 3 \end{array}
\quad\rightarrow\quad
\begin{array}{r} 2\ 6\ 7 \\ +\ 1\ 5\ 6 \\ \hline 2\ 3 \end{array}
\quad\rightarrow\quad
\begin{array}{r} 2\ 6\ 7 \\ +\ 1\ 5\ 6 \\ \hline 4\ 2\ 3 \end{array}
$$

## 2. 받아올림이 3번 있는 덧셈

· 567+675의 계산

$$
\begin{array}{r} 5\ 6\ 7 \\ +\ 6\ 7\ 5 \\ \hline 2 \end{array}
\quad\rightarrow\quad
\begin{array}{r} 5\ 6\ 7 \\ +\ 6\ 7\ 5 \\ \hline 4\ 2 \end{array}
\quad\rightarrow\quad
\begin{array}{r} 5\ 6\ 7 \\ +\ 6\ 7\ 5 \\ \hline 1\ 2\ 4\ 2 \end{array}
$$

**01** 수 모형을 보고 계산해 보시오.

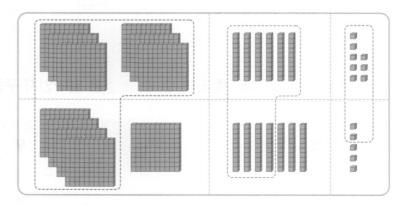

668+575= ☐

□ 안에 알맞은 숫자를 써넣으시오. (02~03)

**02**

$$\begin{array}{r} 1\ 9\ 7 \\ +\ 2\ 4\ 6 \\ \hline \end{array}$$

→

$$\begin{array}{r} 1\ 9\ 7 \\ +\ 2\ 4\ 6 \\ \hline \end{array}$$

→

$$\begin{array}{r} 1\ 9\ 7 \\ +\ 2\ 4\ 6 \\ \hline \end{array}$$

**03**

$$\begin{array}{r} 6\ 8\ 5 \\ +\ 5\ 2\ 7 \\ \hline \end{array}$$

→

$$\begin{array}{r} 6\ 8\ 5 \\ +\ 5\ 2\ 7 \\ \hline \end{array}$$

→

$$\begin{array}{r} 6\ 8\ 5 \\ +\ 5\ 2\ 7 \\ \hline \end{array}$$

계산을 하시오. (04~09)

**04**
$$\begin{array}{r} 5\ 6\ 7 \\ +\ 1\ 8\ 7 \\ \hline \end{array}$$

**05**
$$\begin{array}{r} 4\ 9\ 2 \\ +\ 3\ 8\ 8 \\ \hline \end{array}$$

**06**
$$\begin{array}{r} 7\ 4\ 6 \\ +\ 1\ 9\ 8 \\ \hline \end{array}$$

**07**
$$\begin{array}{r} 6\ 2\ 5 \\ +\ 7\ 8\ 9 \\ \hline \end{array}$$

**08**
$$\begin{array}{r} 8\ 9\ 7 \\ +\ 2\ 5\ 8 \\ \hline \end{array}$$

**09**
$$\begin{array}{r} 5\ 4\ 8 \\ +\ 7\ 6\ 9 \\ \hline \end{array}$$

계산을 하시오. (10~15)

**10**  492＋288

**11**  798＋856

**12**  369＋597

**13**  589＋824

**14**  296＋349

**15**  678＋687

 □ 안에 알맞은 숫자를 써넣으시오. (01~09)

**01**

```
    4 7 □
  + 3 □ 8
  ─────────
  □ 1 4
```

**02**

```
    5 2 □
  + 2 □ 3
  ─────────
  □ 0 0
```

**03**

```
    3 4 □
  + 3 □ 5
  ─────────
  □ 3 0
```

**04**

```
    □ 2 9
  + 3 8 □
  ─────────
  8 □ 6
```

**05**

```
    □ 6 8
  + 2 7 □
  ─────────
  6 □ 3
```

**06**

```
    □ 5 9
  + 3 6 □
  ─────────
  8 □ 1
```

**07**

```
    □ 3 4
  + 4 9 □
  ─────────
  □ 0 □ 3
```

**08**

```
    □ 4 7
  + 6 7 □
  ─────────
  □ 5 □ 1
```

**09**

```
    6 8 □
  + □ 5 7
  ─────────
  □ 4 □ 3
```

 주어진 덧셈식이 성립할 때 각각의 모양이 나타내는 숫자를 구하시오. (10~13)

**10**

```
    5 5 7
  + ♥ ☆ ☆
  ─────────
  △ ♥ 3
```

☆ = □    ♥ = □    △ = □

**11**

```
    2 8 5
  + ♥ ☆ ☆
  ─────────
  △ ♥ 2
```

☆ = □    ♥ = □    △ = □

**12**

```
    ♥ ☆ ☆
  + 4 5 9
  ─────────
  △ ♥ 4
```

☆ = □    ♥ = □    △ = □

**13**

```
    ☆ ♥ ☆
  + 3 6 4
  ─────────
  1 △ 2 1
```

☆ = □    ♥ = □    △ = □

다음 보기 와 같이 가로와 세로, 대각선으로 놓인 세 수의 합이 모두 같도록 빈칸에 알맞은 수를 써넣으시오. (14~16)

보기

| 8 | 1 | 6 |
|---|---|---|
| 3 | 5 | 7 |
| 4 | 9 | 2 |

**14**

| 666 |     | 222 |
|-----|-----|-----|
| 111 | 555 |     |
|     | 333 |     |

**15**

| 339 |     | 623 |
|-----|-----|-----|
|     |     | 126 |
| 197 |     |     |

**16**

| 308 | 749 |     |
|-----|-----|-----|
|     |     |     |
| 560 |     | 686 |

**17** 다음과 같이 서로 다른 3장의 숫자 카드가 있습니다. 이 숫자 카드를 모두 사용하여 만든 가장 큰 수와 가장 작은 수의 합이 1352일 때, ♡로 가려진 부분에 쓰여 있는 숫자는 무엇인지 구하시오.

3            7

(                    )

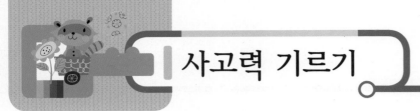
 ♥<☆<△일 때 주어진 덧셈식을 성립시키는 여러 가지 덧셈식을 만들어 보시오.

(01~03)

**01**

```
    ♥ ☆ △
  + I 3 5
  ─────────
  6 □ □
```
→
```
  □ □ □
  + I 3 5
  ─────────
  6 □ □
```
```
  □ □ □
  + I 3 5
  ─────────
  6 □ □
```

```
  □ □ □
  + I 3 5
  ─────────
  6 □ □
```
```
  □ □ □
  + I 3 5
  ─────────
  6 □ □
```
```
  □ □ □
  + I 3 5
  ─────────
  6 □ □
```
```
  □ □ □
  + I 3 5
  ─────────
  6 □ □
```

**02**

```
    ♥ ☆ △
  + 2 4 6
  ─────────
  8 □ □
```
→
```
  □ □ □
  + 2 4 6
  ─────────
  8 □ □
```
```
  □ □ □
  + 2 4 6
  ─────────
  8 □ □
```

```
  □ □ □
  + 2 4 6
  ─────────
  8 □ □
```
```
  □ □ □
  + 2 4 6
  ─────────
  8 □ □
```
```
  □ □ □
  + 2 4 6
  ─────────
  8 □ □
```
```
  □ □ □
  + 2 4 6
  ─────────
  8 □ □
```

**03**

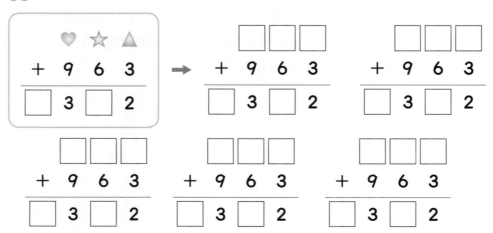

```
    ♥ ☆ △
  + 9 6 3
  ─────────
  □ 3 □ 2
```
→
```
  □ □ □
  + 9 6 3
  ─────────
  □ 3 □ 2
```
```
  □ □ □
  + 9 6 3
  ─────────
  □ 3 □ 2
```

```
  □ □ □
  + 9 6 3
  ─────────
  □ 3 □ 2
```
```
  □ □ □
  + 9 6 3
  ─────────
  □ 3 □ 2
```
```
  □ □ □
  + 9 6 3
  ─────────
  □ 3 □ 2
```

와 같이 주어진 덧셈식을 성립시키는 경우는 4가지가 있습니다. 이것을 참고하여 주어진 덧셈식을 성립시키는 경우를 모두 구하시오. (단, ♥＜☆＜△입니다.) (04~06)

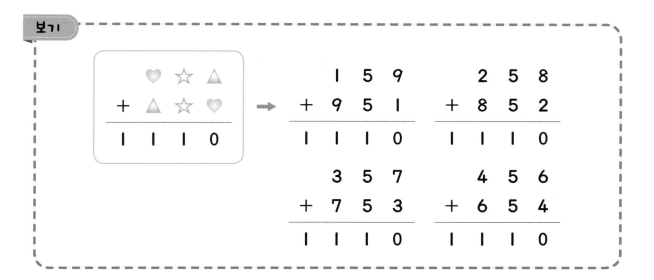

**04**

```
  ♥ ☆ △              □ □ □       □ □ □       □ □ □
+ △ ☆ ♥      →    + □ □ □     + □ □ □     + □ □ □
  1 3 3 2          1 3 3 2     1 3 3 2     1 3 3 2
```

**05**

```
  ♥ ☆ △              □ □ □          □ □ □
+ △ ☆ ♥      →    + □ □ □        + □ □ □
  1 5 5 4          1 5 5 4        1 5 5 4
```

**06**

```
  ♥ ☆ △              □ □ □
+ △ ☆ ♥      →    + □ □ □
  1 7 7 6          1 7 7 6
```

# 실력 점검

 **□ 안에 알맞은 숫자를 써넣으시오. (01~02)**

**01**

```
    □             □ □           □ □
  2 6 5         2 6 5         2 6 5
+ 3 9 7    →  + 3 9 7    →  + 3 9 7
─────────     ─────────     ─────────
      □           □ □         □ □ □
```

**02**

```
    □             □ □           □ □
  7 6 5         7 6 5         7 6 5
+ 4 7 8    →  + 4 7 8    →  + 4 7 8
─────────     ─────────     ─────────
      □           □ □       □ □ □ □
```

 **계산을 하시오. (03~08)**

**03**
```
  4 7 2
+ 2 9 8
```

**04**
```
  6 7 5
+ 2 5 7
```

**05**
```
  4 9 7
+ 3 8 6
```

**06**
```
  7 4 8
+ 3 7 5
```

**07**
```
  9 2 8
+ 6 8 9
```

**08**
```
  5 7 6
+ 5 2 7
```

 **계산을 하시오. (09~14)**

**09**  295+135

**10**  876+354

**11**  679+293

**12**  627+583

**13**  369+472

**14**  497+528

**주어진 덧셈식이 성립할 때 각각의 모양이 나타내는 숫자를 구하시오. (15~17)**

**15**

$$
\begin{array}{ccc}
  & 3 & 6 & 4 \\
+ & ♥ & ☆ & ☆ \\
\hline
  & △ & ♥ & 2 \\
\end{array}
$$

→  ☆ = ☐   ♥ = ☐   △ = ☐

**16**

$$
\begin{array}{ccc}
  & 2 & 7 & 6 \\
+ & ♥ & ☆ & ☆ \\
\hline
  & △ & ♥ & 3 \\
\end{array}
$$

→  ☆ = ☐   ♥ = ☐   △ = ☐

**17**

$$
\begin{array}{ccc}
  & ☆ & ♥ & ☆ \\
+ & 4 & 7 & 5 \\
\hline
1 & △ & 4 & 3 \\
\end{array}
$$

→  ☆ = ☐   ♥ = ☐   △ = ☐

**18**  ♥<☆<△일 때 주어진 덧셈식을 성립시키는 여러 가지 덧셈식을 만들어 보시오.

$$
\begin{array}{ccc}
  & ♥ & ☆ & △ \\
+ & 1 & 4 & 6 \\
\hline
  & 7 & ☐ & ☐ \\
\end{array}
$$

→

$$
\begin{array}{ccc}
  & ☐ & ☐ & ☐ \\
+ & 1 & 4 & 6 \\
\hline
  & 7 & ☐ & ☐ \\
\end{array}
$$

$$
\begin{array}{ccc}
  & ☐ & ☐ & ☐ \\
+ & 1 & 4 & 6 \\
\hline
  & 7 & ☐ & ☐ \\
\end{array}
$$

$$
\begin{array}{ccc}
  & ☐ & ☐ & ☐ \\
+ & 1 & 4 & 6 \\
\hline
  & 7 & ☐ & ☐ \\
\end{array}
$$

$$
\begin{array}{ccc}
  & ☐ & ☐ & ☐ \\
+ & 1 & 4 & 6 \\
\hline
  & 7 & ☐ & ☐ \\
\end{array}
$$

$$
\begin{array}{ccc}
  & ☐ & ☐ & ☐ \\
+ & 1 & 4 & 6 \\
\hline
  & 7 & ☐ & ☐ \\
\end{array}
$$

$$
\begin{array}{ccc}
  & ☐ & ☐ & ☐ \\
+ & 1 & 4 & 6 \\
\hline
  & 7 & ☐ & ☐ \\
\end{array}
$$

**개념**

· 425−157의 계산

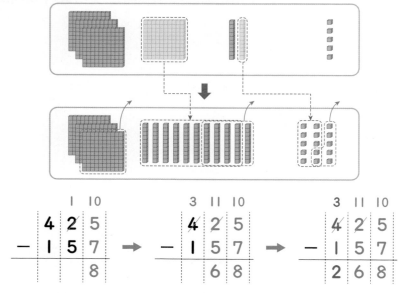

$$
\begin{array}{r}
\phantom{0}1\phantom{0}10\phantom{0}\\
4\ 2\ 5\\
-\ 1\ 5\ 7\\
\hline
8
\end{array}
\rightarrow
\begin{array}{r}
3\phantom{0}11\phantom{0}10\phantom{0}\\
\not4\ 2\ 5\\
-\ 1\ 5\ 7\\
\hline
6\ 8
\end{array}
\rightarrow
\begin{array}{r}
3\phantom{0}11\phantom{0}10\phantom{0}\\
\not4\ 2\ 5\\
-\ 1\ 5\ 7\\
\hline
2\ 6\ 8
\end{array}
$$

① 각 자리의 숫자를 맞추어 씁니다.

② 일, 십, 백의 자리 순서로 계산을 합니다.

③ 같은 자리끼리 뺄 수 없으면 바로 윗 자리에서 받아내려 계산합니다.

 수 모형을 보고 계산해 보시오. (01~02)

**01**

$$
\begin{array}{r}
3\ 1\ 2\\
-\ 1\ 5\ 8\\
\hline
\boxed{\phantom{000}}
\end{array}
$$

**02**

$$
\begin{array}{r}
4\ 2\ 5\\
-\ 2\ 7\ 7\\
\hline
\boxed{\phantom{000}}
\end{array}
$$

□ 안에 알맞은 수를 써넣으시오. (03~04)

**03**

```
    □ □
  5 3 1
- 1 7 2
─────────
      □
```
→
```
  □ □ □
  5 3 1
- 1 7 2
─────────
    □ □
```
→
```
  □ □ □
  5 3 1
- 1 7 2
─────────
  □ □ □
```

**04**

```
    □ □
  6 5 4
- 2 9 5
─────────
      □
```
→
```
  □ □ □
  6 5 4
- 2 9 5
─────────
    □ □
```
→
```
  □ □ □
  6 5 4
- 2 9 5
─────────
  □ □ □
```

 계산을 하시오. (05~10)

**05**
```
  4 3 5
- 2 7 6
```

**06**
```
  5 2 0
- 2 5 7
```

**07**
```
  6 2 4
- 4 3 8
```

**08**
```
  7 1 8
- 3 2 9
```

**09**
```
  4 6 7
- 1 9 8
```

**10**
```
  9 2 5
- 6 4 8
```

 계산을 하시오. (11~16)

**11**  732−256

**12**  531−282

**13**  424−178

**14**  600−275

**15**  948−379

**16**  746−498

 □ 안에 알맞은 숫자를 써넣으시오. (01~15)

**01**
```
    8 1 □
  - 2 □ 9
  ─────────
    □ 5 4
```

**02**
```
    6 2 □
  - 3 □ 8
  ─────────
    □ 7 7
```

**03**
```
    5 4 □
  - 1 □ 6
  ─────────
    □ 5 8
```

**04**
```
    □ 3 7
  - 2 □ 8
  ─────────
    1 6 □
```

**05**
```
    □ 6 5
  - 3 □ 9
  ─────────
    5 7 □
```

**06**
```
    □ 3 6
  - 2 □ 7
  ─────────
    2 8 □
```

**07**
```
    □ 4 1
  - 4 6 □
  ─────────
    2 □ 5
```

**08**
```
    □ 0 3
  - 2 7 □
  ─────────
    3 □ 8
```

**09**
```
    □ 2 6
  - 3 5 □
  ─────────
    4 □ 7
```

**10**
```
    8 □ 8
  - 5 8 □
  ─────────
    □ 6 9
```

**11**
```
    7 □ 4
  - 5 4 □
  ─────────
    □ 7 9
```

**12**
```
    6 □ 4
  - 1 7 □
  ─────────
    □ 3 5
```

**13**
```
    7 4 3
  - □ □ 4
  ─────────
    4 8 □
```

**14**
```
    6 2 5
  - □ □ 8
  ─────────
    4 7 □
```

**15**
```
    5 3 6
  - □ □ 9
  ─────────
    2 6 □
```

주어진 식은 받아내림이 2번 있는 뺄셈식입니다. 서로 다른 모양은 서로 다른 숫자일 때, 조건을 만족하는 여러 가지 뺄셈식을 만들어 보시오. (16~18)

**16**

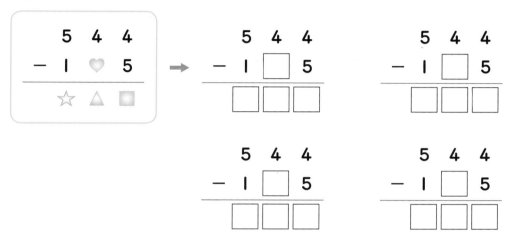

**17**

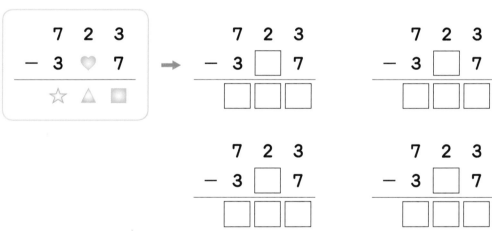

**18**

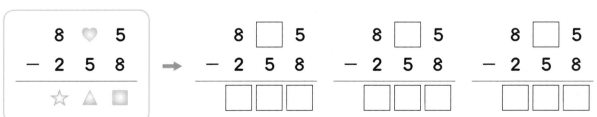

🌸 주어진 조건을 보고 ♥와 ☆이 나타내는 수를 구하시오. (01~05)

**01**

$$700 - ♥ - ☆ = 367 \qquad ♥ = ☆ + ☆$$

♥ = ☐　　☆ = ☐

**02**

$$800 - ♥ - ☆ = 431 \qquad ☆ = ♥ + ♥$$

♥ = ☐　　☆ = ☐

**03**

$$915 - ♥ - ♥ = 249 \qquad ♥ - ☆ = 189$$

♥ = ☐　　☆ = ☐

**04**

$$623 - ☆ - ☆ = 179 \qquad ☆ - ♥ = 147$$

♥ = ☐　　☆ = ☐

**05**

$$833 - ♥ - ♥ = 349 \qquad ♥ - ☆ = 153$$

♥ = ☐　　☆ = ☐

받아내림이 2번 있는 뺄셈식입니다. 계산 결과에 맞도록 여러 가지 뺄셈식을 만들어 보시오. (06~07)

**06**

| | 5 | ☐ | 0 |
|---|---|---|---|
| − | ☐ | ☐ | ☐ |
| | 3 | 9 | 6 |

| | 5 | ☐ | 0 |
|---|---|---|---|
| − | ☐ | ☐ | ☐ |
| | 3 | 9 | 6 |

| | 5 | ☐ | 0 |
|---|---|---|---|
| − | ☐ | ☐ | ☐ |
| | 3 | 9 | 6 |

| | 5 | ☐ | 0 |
|---|---|---|---|
| − | ☐ | ☐ | ☐ |
| | 3 | 9 | 6 |

| | 5 | ☐ | 0 |
|---|---|---|---|
| − | ☐ | ☐ | ☐ |
| | 3 | 9 | 6 |

| | 5 | ☐ | 0 |
|---|---|---|---|
| − | ☐ | ☐ | ☐ |
| | 3 | 9 | 6 |

| | 5 | ☐ | 0 |
|---|---|---|---|
| − | ☐ | ☐ | ☐ |
| | 3 | 9 | 6 |

| | 5 | ☐ | 0 |
|---|---|---|---|
| − | ☐ | ☐ | ☐ |
| | 3 | 9 | 6 |

| | 5 | ☐ | 0 |
|---|---|---|---|
| − | ☐ | ☐ | ☐ |
| | 3 | 9 | 6 |

| | 5 | ☐ | 0 |
|---|---|---|---|
| − | ☐ | ☐ | ☐ |
| | 3 | 9 | 6 |

**07**

| | 8 | ☐ | 1 |
|---|---|---|---|
| − | ☐ | ☐ | ☐ |
| | 4 | 8 | 7 |

| | 8 | ☐ | 1 |
|---|---|---|---|
| − | ☐ | ☐ | ☐ |
| | 4 | 8 | 7 |

| | 8 | ☐ | 1 |
|---|---|---|---|
| − | ☐ | ☐ | ☐ |
| | 4 | 8 | 7 |

| | 8 | ☐ | 1 |
|---|---|---|---|
| − | ☐ | ☐ | ☐ |
| | 4 | 8 | 7 |

| | 8 | ☐ | 1 |
|---|---|---|---|
| − | ☐ | ☐ | ☐ |
| | 4 | 8 | 7 |

| | 8 | ☐ | 1 |
|---|---|---|---|
| − | ☐ | ☐ | ☐ |
| | 4 | 8 | 7 |

| | 8 | ☐ | 1 |
|---|---|---|---|
| − | ☐ | ☐ | ☐ |
| | 4 | 8 | 7 |

| | 8 | ☐ | 1 |
|---|---|---|---|
| − | ☐ | ☐ | ☐ |
| | 4 | 8 | 7 |

| | 8 | ☐ | 1 |
|---|---|---|---|
| − | ☐ | ☐ | ☐ |
| | 4 | 8 | 7 |

# 실력 점검

 □ 안에 알맞은 수를 써넣으시오. (01~02)

**01**

```
    □ □
  4 2 5
- 1 5 7
─────
      □
```
→
```
  □ □ □
  4 2 5
- 1 5 7
─────
    □ □
```
→
```
  □ □ □
  4 2 5
- 1 5 7
─────
  □ □ □
```

**02**

```
    □ □
  6 5 4
- 2 7 8
─────
      □
```
→
```
  □ □ □
  6 5 4
- 2 7 8
─────
    □ □
```
→
```
  □ □ □
  6 5 4
- 2 7 8
─────
  □ □ □
```

 계산을 하시오. (03~08)

**03**
```
  2 7 6
- 1 9 7
```

**04**
```
  6 2 5
- 4 7 8
```

**05**
```
  9 6 1
- 5 7 9
```

**06**
```
  5 7 8
- 1 9 9
```

**07**
```
  6 5 2
- 2 8 5
```

**08**
```
  8 6 4
- 3 7 9
```

 계산을 하시오. (09~14)

**09** 415-236

**10** 307-199

**11** 654-365

**12** 725-697

**13** 432-158

**14** 643-358

 □ 안에 알맞은 수를 써넣으시오. (15~20)

15
```
    5 2 □
  -   2 □ 8
  ─────────
      □ 6 5
```

16
```
    7 2 □
  -   3 □ 8
  ─────────
      □ 7 6
```

17
```
    8 3 □
  -   1 □ 6
  ─────────
      □ 4 9
```

18
```
    □ 4 4
  -   4 6 □
  ─────────
      3 □ 8
```

19
```
    □ 0 6
  -   2 8 □
  ─────────
      3 □ 9
```

20
```
    □ 2 5
  -   3 4 □
  ─────────
      5 □ 6
```

21  주어진 식은 받아내림이 **2번** 있는 **뺄셈식**입니다. 서로 다른 모양은 서로 다른 숫자일 때, 조건을 만족하는 여러 가지 **뺄셈식**을 만들어 보시오.

```
    6 3 4
  - 2 ♡ 8
  ───────
    ☆ △ ▣
```
→
```
    6 3 4          6 3 4
  - 2 □ 8        - 2 □ 8
  ───────        ───────
  □ □ □          □ □ □

    6 3 4          6 3 4
  - 2 □ 8        - 2 □ 8
  ───────        ───────
  □ □ □          □ □ □
```

 주어진 조건을 보고 ♡와 ☆이 나타내는 수를 구하시오. (22~23)

22
$$600-♡-☆=267 \qquad ♡=☆+☆$$

♡ = □        ☆ = □

23
$$900-♡-☆=534 \qquad ☆=♡+♡$$

♡ = □        ☆ = □

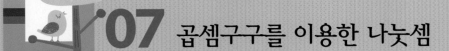

# 07 곱셈구구를 이용한 나눗셈

**개념**

· 15÷3의 몫 구하기

| × | 1 | 2 | ③ | 4 | ⑤ | 6 |
|---|---|---|---|---|---|---|
| 1 | 1 | 2 | 3 | 4 | 5 | 6 |
| 2 | 2 | 4 | 6 | 8 | 10 | 12 |
| ③ | 3 | 6 | 9 | 12 | 15 | 18 |
| 4 | 4 | 8 | 12 | 16 | 20 | 24 |
| ⑤ | 5 | 10 | 15 | 20 | 25 | 30 |
| 6 | 6 | 12 | 18 | 24 | 30 | 36 |

① 15÷3의 몫을 구하기 위해 3의 단 곱셈구구를 이용합니다.

② 3의 단 곱셈구구에서 곱이 15인 곱셈식을 찾습니다. ➡ 3×5=15

③ 3×5=15 ➡ 15÷3=5

 그림을 보고 ☐ 안에 알맞은 수를 써넣으시오. (01~03)

**01**

$$4 \times \boxed{\phantom{0}} = \boxed{\phantom{0}} \quad \Rightarrow \quad 12 \div 4 = \boxed{\phantom{0}}$$

**02**

$$5 \times \boxed{\phantom{0}} = \boxed{\phantom{0}} \quad \Rightarrow \quad 30 \div 5 = \boxed{\phantom{0}}$$

**03**

$$6 \times \boxed{\phantom{0}} = \boxed{\phantom{0}} \quad \Rightarrow \quad 24 \div 6 = \boxed{\phantom{0}}$$

곱셈구구표를 보고 □ 안에 알맞은 수를 써넣으시오. (04~06)

**04**

| × | 1 | 2 | 3 | 4 | 5 | 6 | 7 | 8 | 9 |
|---|---|---|---|---|---|---|---|---|---|
| 3 | 3 | 6 | 9 | 12 | 15 | 18 | 21 | 24 | 27 |

$$3 \times \boxed{\phantom{0}} = 18 \rightarrow 18 \div 3 = \boxed{\phantom{0}}$$

**05**

| × | 1 | 2 | 3 | 4 | 5 | 6 | 7 | 8 | 9 |
|---|---|---|---|---|---|---|---|---|---|
| 6 | 6 | 12 | 18 | 24 | 30 | 36 | 42 | 48 | 54 |

$$6 \times \boxed{\phantom{0}} = 42 \rightarrow 42 \div 6 = \boxed{\phantom{0}}$$

**06**

| × | 1 | 2 | 3 | 4 | 5 | 6 | 7 | 8 | 9 |
|---|---|---|---|---|---|---|---|---|---|
| 9 | 9 | 18 | 27 | 36 | 45 | 54 | 63 | 72 | 81 |

$$9 \times \boxed{\phantom{0}} = 72 \rightarrow 72 \div 9 = \boxed{\phantom{0}}$$

 □ 안에 알맞은 수를 써넣으시오. (07~14)

**07** $\quad 2 \times \boxed{\phantom{0}} = 10 \rightarrow 10 \div 2 = \boxed{\phantom{0}}$ 　　**08** $\quad 4 \times \boxed{\phantom{0}} = 16 \rightarrow 16 \div 4 = \boxed{\phantom{0}}$

**09** $\quad 5 \times \boxed{\phantom{0}} = 45 \rightarrow 45 \div 5 = \boxed{\phantom{0}}$ 　　**10** $\quad 7 \times \boxed{\phantom{0}} = 28 \rightarrow 28 \div 7 = \boxed{\phantom{0}}$

**11** $\quad 8 \times \boxed{\phantom{0}} = 48 \rightarrow 48 \div 8 = \boxed{\phantom{0}}$ 　　**12** $\quad 3 \times \boxed{\phantom{0}} = 24 \rightarrow 24 \div 3 = \boxed{\phantom{0}}$

**13** $\quad 7 \times \boxed{\phantom{0}} = 35 \rightarrow 35 \div 7 = \boxed{\phantom{0}}$ 　　**14** $\quad 9 \times \boxed{\phantom{0}} = 81 \rightarrow 81 \div 9 = \boxed{\phantom{0}}$

## 사고력 기르기

주어진 조건에서 △는 얼마를 나타내는지 구하시오. (01~08)

**01**  ♥+5=45    ♥÷△=5    △=☐

**02**  ♥−6=24    ♥÷△=6    △=☐

**03**  ♥×4=32    △÷♥=9    △=☐

**04**  ♥×6=54    △÷♥=7    △=☐

**05**  ♥×♥=36    △÷♥=8    △=☐

**06**  ♥×♥=49    △÷♥=4    △=☐

**07**  ♥×♥+40=56    △÷♥=5    △=☐

**08**  ♥×♥−16=65    △÷♥=3    △=☐

곱셈구구를 이용하여 주어진 식에 맞는 여러 가지 나눗셈식을 만들어 보시오. (09~14)

**09**  $12 \div \text{☆} = \heartsuit$

$12 \div \square = \square$ $\qquad$ $12 \div \square = \square$ $\qquad$ $12 \div \square = \square$ $\qquad$ $12 \div \square = \square$

**10**  $16 \div \text{☆} = \heartsuit$

$16 \div \square = \square$ $\qquad$ $16 \div \square = \square$ $\qquad$ $16 \div \square = \square$

**11**  $18 \div \text{☆} = \heartsuit$

$18 \div \square = \square$ $\qquad$ $18 \div \square = \square$ $\qquad$ $18 \div \square = \square$ $\qquad$ $18 \div \square = \square$

**12**  $24 \div \text{☆} = \heartsuit$

$24 \div \square = \square$ $\qquad$ $24 \div \square = \square$ $\qquad$ $24 \div \square = \square$ $\qquad$ $24 \div \square = \square$

**13**  $36 \div \text{☆} = \heartsuit$

$36 \div \square = \square$ $\qquad$ $36 \div \square = \square$ $\qquad$ $36 \div \square = \square$

**14**  $45 \div \text{☆} = \heartsuit$

$45 \div \square = \square$ $\qquad$ $45 \div \square = \square$

 가♥나＝(가÷6)×(나÷2)와 같이 계산할 때, 다음을 계산하시오. (01~04)

**01**  24♥8

➡

**02**  48♥6

➡

**03**  30♥4

➡

**04**  54♥16

➡

주어진 수 카드에 쓰인 수를 모두 □ 안에 써넣어 식이 성립하도록 하시오. (05~06)

**05**

| 1 | 4 | 5 | 6 | 20 |

(1) $4+\boxed{\phantom{0}}-(\boxed{\phantom{0}}÷\boxed{\phantom{0}})-\boxed{\phantom{0}}=5$

(2) $5+\boxed{\phantom{0}}-(\boxed{\phantom{0}}÷\boxed{\phantom{0}})-\boxed{\phantom{0}}=5$

**06**

| 3 | 8 | 12 | 15 | 24 |

$(\boxed{\phantom{0}}÷3)+(\boxed{\phantom{0}}÷\boxed{\phantom{0}})+\boxed{\phantom{0}}=20$

를 참고하여 ⬜, △, ☆에 알맞은 숫자를 구하시오. (단, 모양이 서로 다르더라도 나타내는 숫자는 같을 수 있습니다.) (07~12)

> **보기**
>
> 30÷⬜=42÷△=☆에서 식을 성립시키는 한 자리 수 ⬜, △, ☆를 구하면
> ⬜=5, △=7, ☆=6입니다.

**07**   35÷⬜=45÷△=☆     ⬜=☐   △=☐   ☆=☐

**08**   24÷⬜=27÷△=☆     ⬜=☐   △=☐   ☆=☐

**09**   16÷⬜=20÷△=☆     ⬜=☐   △=☐   ☆=☐

**10**   49÷⬜=21÷△=☆     ⬜=☐   △=☐   ☆=☐

**11**   40÷⬜=56÷△=☆     ⬜=☐   △=☐   ☆=☐

**12**   54÷⬜=63÷△=☆     ⬜=☐   △=☐   ☆=☐

# 실력 점검

 곱셈구구표를 보고 □ 안에 알맞은 수를 써넣으시오. (01~03)

01

| × | 1 | 2 | 3 | 4 | 5 | 6 | 7 | 8 | 9 |
|---|---|---|---|---|---|---|---|---|---|
| 5 | 5 | 10 | 15 | 20 | 25 | 30 | 35 | 40 | 45 |

$5 \times \boxed{\phantom{0}} = 20 \rightarrow 20 \div 5 = \boxed{\phantom{0}}$

02

| × | 1 | 2 | 3 | 4 | 5 | 6 | 7 | 8 | 9 |
|---|---|---|---|---|---|---|---|---|---|
| 7 | 7 | 14 | 21 | 28 | 35 | 42 | 49 | 56 | 63 |

$7 \times \boxed{\phantom{0}} = 63 \rightarrow 63 \div 7 = \boxed{\phantom{0}}$

03

| × | 1 | 2 | 3 | 4 | 5 | 6 | 7 | 8 | 9 |
|---|---|---|---|---|---|---|---|---|---|
| 8 | 8 | 16 | 24 | 32 | 40 | 48 | 56 | 64 | 72 |

$8 \times \boxed{\phantom{0}} = 48 \rightarrow 48 \div 8 = \boxed{\phantom{0}}$

 □ 안에 알맞은 수를 써넣으시오. (04~11)

04  $2 \times \boxed{\phantom{0}} = 14 \rightarrow 14 \div 2 = \boxed{\phantom{0}}$　　05  $6 \times \boxed{\phantom{0}} = 30 \rightarrow 30 \div 6 = \boxed{\phantom{0}}$

06  $4 \times \boxed{\phantom{0}} = 28 \rightarrow 28 \div 4 = \boxed{\phantom{0}}$　　07  $8 \times \boxed{\phantom{0}} = 16 \rightarrow 16 \div 8 = \boxed{\phantom{0}}$

08  $6 \times \boxed{\phantom{0}} = 36 \rightarrow 36 \div 6 = \boxed{\phantom{0}}$　　09  $9 \times \boxed{\phantom{0}} = 45 \rightarrow 45 \div 9 = \boxed{\phantom{0}}$

10  $4 \times \boxed{\phantom{0}} = 12 \rightarrow 12 \div 4 = \boxed{\phantom{0}}$　　11  $7 \times \boxed{\phantom{0}} = 42 \rightarrow 42 \div 7 = \boxed{\phantom{0}}$

 주어진 조건에서 △는 얼마를 나타내는지 구하시오. (12~15)

**12** ♡×♡=25   △÷♡=9        △=☐

**13** ♡×♡=64   △÷♡=6        △=☐

**14** ♡×♡+36=72   △÷♡=5        △=☐

**15** ♡×♡−25=56   △÷♡=7        △=☐

 보기 를 참고하여 ☐, △, ☆에 알맞은 숫자를 구하시오. (단, 모양이 서로 다르더라도 나타내는 숫자는 같을 수 있습니다.) (16~18)

보기
> 30÷☐=42÷△=☆에서 식을 성립시키는 한 자리 수 ☐, △, ☆를 구하면
> ☐=5, △=7, ☆=6입니다.

**16** 30÷☐=25÷△=☆        ☐=☐   △=☐   ☆=☐

**17** 15÷☐=21÷△=☆        ☐=☐   △=☐   ☆=☐

**18** 63÷☐=45÷△=☆        ☐=☐   △=☐   ☆=☐

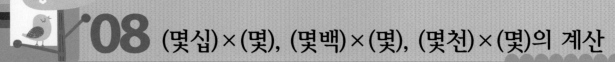

# 08 (몇십)×(몇), (몇백)×(몇), (몇천)×(몇)의 계산

## 1. (몇십)×(몇)의 계산

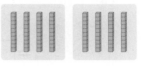   $40 \times 2 = 80$

$$\begin{array}{r} 40 \\ \times\ \ 2 \\ \hline 80 \end{array}$$

## 2. (몇백)×(몇)의 계산

     $300 \times 3 = 900$

$$\begin{array}{r} 300 \\ \times\ \ \ 3 \\ \hline 900 \end{array}$$

## 3. (몇천)×(몇)의 계산

     $2000 \times 3 = 6000$

$$\begin{array}{r} 2000 \\ \times\ \ \ \ \ 3 \\ \hline 6000 \end{array}$$

수 모형을 보고 □ 안에 알맞은 수를 써넣으시오. (01~03)

**01**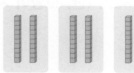

십 모형의 수 : $2 \times 4 = \boxed{\phantom{00}}$

➡ $20 \times 4 = \boxed{\phantom{00}}$

**02**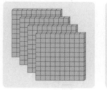

백 모형의 수 : $4 \times 2 = \boxed{\phantom{00}}$

➡ $400 \times 2 = \boxed{\phantom{00}}$

**03**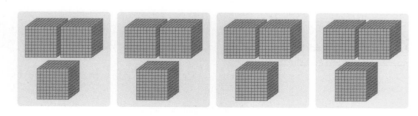

천 모형의 수 : $3 \times 4 = \boxed{\phantom{00}}$ ➡ $3000 \times 4 = \boxed{\phantom{00}}$

□ 안에 알맞은 수를 써넣으시오. (04~06)

**04**  3×2=□ ➡ 30×2=□

**05**  4×5=□ ➡ 400×5=□

**06**  8×2=□ ➡ 8000×2=□

 계산을 하시오. (07~15)

| | | | |
|---|---|---|---|
| **07** | 70 × 5 | **08** | 60 × 6 | **09** | 40 × 6 |

**07**
```
   7 0
 ×   5
```

**08**
```
   6 0
 ×   6
```

**09**
```
   4 0
 ×   6
```

**10**
```
   4 0 0
 ×     8
```

**11**
```
   7 0 0
 ×     9
```

**12**
```
   8 0 0
 ×     2
```

**13**
```
   5 0 0 0
 ×       3
```

**14**
```
   9 0 0 0
 ×       4
```

**15**
```
   2 0 0 0
 ×       9
```

 계산을 하시오. (16~21)

**16**  80×8

**17**  60×5

**18**  300×9

**19**  700×7

**20**  4000×8

**21**  8000×9

 주어진 식을 성립시키는 여러 가지 식을 만들어 보시오. (단, 같은 모양은 같은 숫자를 나타냅니다.) (01~05)

**01**　♥ 0 × ♥ < 200

　□ 0 × □ < 200　　□ 0 × □ < 200　　□ 0 × □ < 200

　□ 0 × □ < 200

**02**　☆ 0 × ☆ < 350

　□ 0 × □ < 350　　□ 0 × □ < 350　　□ 0 × □ < 350

　□ 0 × □ < 350　　□ 0 × □ < 350

**03**　▲ 0 × ▲ > 400

　□ 0 × □ > 400　　□ 0 × □ > 400　　□ 0 × □ > 400

**04**　■ 0 × ■ > 260

　□ 0 × □ > 260　　□ 0 × □ > 260　　□ 0 × □ > 260

　□ 0 × □ > 260

**05**　◆ 0 × ◆ > 160

　□ 0 × □ > 160　　□ 0 × □ > 160　　□ 0 × □ > 160

　□ 0 × □ > 160　　□ 0 × □ > 160

**06** 주어진 식을 성립시키는 여러 가지 곱셈식을 만들어 보시오. (단, 각각의 모양은 서로 다른 숫자입니다.)

$$♡00 × △ = ☆000$$

☐00 × ☐ = ☐000     ☐00 × ☐ = ☐000

☐00 × ☐ = ☐000     ☐00 × ☐ = ☐000

☐00 × ☐ = ☐000     ☐00 × ☐ = ☐000

☐00 × ☐ = ☐000     ☐00 × ☐ = ☐000

**빈칸에 알맞은 수를 써넣으시오. (07~12)**

**07**  $30 × 3 + 30 × 5 = 30 × ☐ = ☐$

**08**  $70 × 9 - 70 × 3 = 70 × ☐ = ☐$

**09**  $400 × 2 + 400 × 3 + 400 × 4 = 400 × ☐ = ☐$

**10**  $200 × 9 - 200 × 5 + 200 × 2 = 200 × ☐ = ☐$

**11**  $3000 × 8 = 3000 × 2 + 3000 × ☐$

**12**  $5000 × 9 = 5000 + 5000 × ☐ + 5000 × 5$

**01** 주어진 식에서 각각의 모양은 서로 다른 숫자이고, 두 자리 수 ▧☆은 홀수입니다. 주어진 식을 성립시키는 여러 가지 곱셈식을 만들어 보시오.

$$♥000 × △ = ▧☆000$$

□000 × □ = □□000     □000 × □ = □□000

□000 × □ = □□000     □000 × □ = □□000

□000 × □ = □□000     □000 × □ = □□000

**02** 주어진 식에서 각각의 모양은 서로 다른 숫자이고, 두 자리 수 ☆♥는 **50**보다 큰 짝수입니다. 주어진 식을 성립시키는 여러 가지 곱셈식을 만들어 보시오.

$$△000 × ▧ = ☆♥000$$

□000 × □ = □□000     □000 × □ = □□000

□000 × □ = □□000     □000 × □ = □□000

□000 × □ = □□000     □000 × □ = □□000

를 참고하여 주어진 식을 성립시키는 여러 가지 곱셈식을 만들어 보시오. (03~04)

보기

문제에 주어진 곱셈식에서

첫째, ♥, ☆, △는 0이 아닌 서로 다른 숫자입니다.

둘째, ♥가 가장 작은 숫자이고 △가 가장 큰 숫자입니다.

셋째, △와 ☆의 차는 ☆과 ♥의 차와 같습니다.

넷째, ♥와 ☆의 곱은 10보다 크지 않습니다.

03  ♥00 × ☆ × △ = ☐☐00

☐00 × ☐ × ☐ = ☐☐00          ☐00 × ☐ × ☐ = ☐☐00

☐00 × ☐ × ☐ = ☐☐00          ☐00 × ☐ × ☐ = ☐☐00

☐00 × ☐ × ☐ = ☐☐00          ☐00 × ☐ × ☐ = ☐☐00

04  ♥ × ☆000 × △ = ☐☐000

☐ × ☐000 × ☐ = ☐☐000          ☐ × ☐000 × ☐ = ☐☐000

☐ × ☐000 × ☐ = ☐☐000          ☐ × ☐000 × ☐ = ☐☐000

☐ × ☐000 × ☐ = ☐☐000          ☐ × ☐000 × ☐ = ☐☐000

# 실력 점검

 **□ 안에 알맞은 수를 써넣으시오. (01~03)**

01   4×3=□ ➡ 40×3=□

02   7×4=□ ➡ 700×4=□

03   8×6=□ ➡ 8000×6=□

 **계산을 하시오. (04~09)**

04      40
    ×   6

05     600
    ×   7

06    4000
   ×   4

07      80
    ×   8

08     700
    ×   5

09    3000
   ×   9

 **계산을 하시오. (10~15)**

10   40×9

11   70×3

12   600×8

13   900×2

14   4000×5

15   8000×8

주어진 식을 성립시키는 여러 가지 식을 만들어 보시오. (단, 각각의 모양은 한 자리 수입니다.) (16~17)

16 ┃ ♡0×♡<220

☐0×☐<220  ☐0×☐<220  ☐0×☐<220

☐0×☐<220

17 ┃ ▨0×▨>360

☐0×☐>360  ☐0×☐>360  ☐0×☐>360

18 주어진 식을 성립시키는 여러 가지 곱셈식을 만들어 보시오. (단, 각각의 모양은 한 자리 수입니다.)

♡000×△=12000

☐000×☐=12000  ☐000×☐=12000

☐000×☐=12000  ☐000×☐=12000

19 주어진 식에서 각각의 모양은 서로 다른 숫자이고, 두 자리 수 ☆♡는 40보다 큰 홀수입니다. 주어진 식을 성립시키는 곱셈식을 만들어 보시오.

△000×▨=☆♡000

☐000×☐=☐☐000  ☐000×☐=☐☐000

# 09 올림이 없는 (몇십몇)×(몇)의 계산

· 13×3의 계산

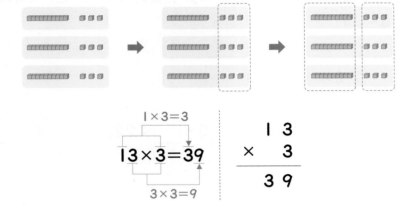

$1 \times 3 = 3$

$13 \times 3 = 39$

$3 \times 3 = 9$

$$\begin{array}{r} 1\ 3 \\ \times \quad 3 \\ \hline 3\ 9 \end{array}$$

$$\begin{array}{r} 1\ 3 \\ \times \quad 3 \\ \hline 3\ 9 \end{array}$$

① $3 \times 3 = 9$ ➡ 일의 자리에 9를 씁니다.
② $1 \times 3 = 3$ ➡ 십의 자리에 3을 씁니다.

수 모형을 보고 ☐ 안에 알맞은 수를 써넣으시오. (01~03)

**01**

(1) $11 + 11 = \boxed{\phantom{00}}$

(2) $11 \times 2 = \boxed{\phantom{00}}$

**02**

(1) $21 + 21 + 21 = \boxed{\phantom{00}}$

(2) $21 \times 3 = \boxed{\phantom{00}}$

**03**

(1) $32 + 32 + 32 = \boxed{\phantom{00}}$

(2) $32 \times 3 = \boxed{\phantom{00}}$

□ 안에 알맞은 수를 써넣으시오. (04~06)

**04**

$12 \times 4 \rightarrow$ $\begin{cases} 10 \times 4 = \boxed{\phantom{00}} \\ 2 \times 4 = \boxed{\phantom{00}} \end{cases}$ $\rightarrow 12 \times 4 = \boxed{\phantom{00}}$

**05**

$33 \times 3 \rightarrow$ $\begin{cases} 30 \times 3 = \boxed{\phantom{00}} \\ 3 \times 3 = \boxed{\phantom{00}} \end{cases}$ $\rightarrow 33 \times 3 = \boxed{\phantom{00}}$

**06**

$24 \times 2 \rightarrow$ $\begin{cases} 20 \times 2 = \boxed{\phantom{00}} \\ 4 \times 2 = \boxed{\phantom{00}} \end{cases}$ $\rightarrow 24 \times 2 = \boxed{\phantom{00}}$

 계산을 하시오. (07~12)

**07**
$$\begin{array}{r} 1\,1 \\ \times \quad 7 \\ \hline \end{array}$$

**08**
$$\begin{array}{r} 1\,4 \\ \times \quad 2 \\ \hline \end{array}$$

**09**
$$\begin{array}{r} 2\,3 \\ \times \quad 3 \\ \hline \end{array}$$

**10**
$$\begin{array}{r} 3\,1 \\ \times \quad 2 \\ \hline \end{array}$$

**11**
$$\begin{array}{r} 2\,1 \\ \times \quad 4 \\ \hline \end{array}$$

**12**
$$\begin{array}{r} 3\,2 \\ \times \quad 2 \\ \hline \end{array}$$

 계산을 하시오. (13~18)

**13** $12 \times 4$

**14** $22 \times 4$

**15** $42 \times 2$

**16** $13 \times 2$

**17** $22 \times 3$

**18** $23 \times 2$

 주어진 곱셈식에서 ♥는 1보다 큰 한 자리 수입니다. 올림이 없는 여러 가지 곱셈식을 만들어 보시오. (01~02)

**01**

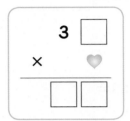

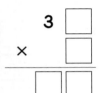

**02**

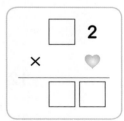

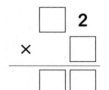

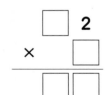

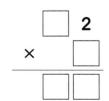

주어진 식을 성립시키는 여러 가지 곱셈식을 만들어 보시오. (단, 서로 다른 모양은 서로 다른 숫자입니다.) (03~06)

03

04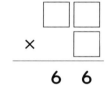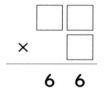

05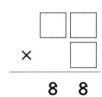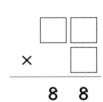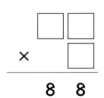

06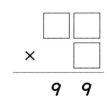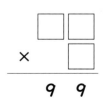

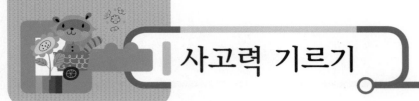
01   를 참고하여 주어진 **16**장의 수 카드 중 **4**장을 선택하여 여러 가지 식을 만들어 보시오. (단, 수 카드 **1**은 반드시 선택해야 하며 선택한 **4**장의 수 카드를 늘어 놓는 위치가 다르더라도 한 가지 식으로 생각합니다.)

보기

**4**장의 수 카드 [1] [2] [11] [22] 를 늘어 놓아 만들 수 있는 식은 다음과 같습니다.

[1] × [22] = [2] × [11]  같은 식 [2] × [11] = [1] × [22]

| 1 | 2 | 3 | 4 | 5 | 6 | 7 | 8 | 9 |

| 11 | 22 | 33 | 44 | 55 | 66 | 77 | 88 | 99 |

$$\square \times \square = \square \times \square \qquad \square \times \square = \square \times \square$$

$$\square \times \square = \square \times \square \qquad \square \times \square = \square \times \square$$

$$\square \times \square = \square \times \square \qquad \square \times \square = \square \times \square$$

$$\square \times \square = \square \times \square \qquad \square \times \square = \square \times \square$$

$$\square \times \square = \square \times \square \qquad \square \times \square = \square \times \square$$

$$\square \times \square = \square \times \square \qquad \square \times \square = \square \times \square$$

$$\square \times \square = \square \times \square \qquad \square \times \square = \square \times \square$$

주어진 곱셈식을 성립시키는 올림이 없는 여러 가지 곱셈식을 만들어 보시오. (단, 서로 다른 모양은 서로 다른 숫자입니다.) (02~05)

**02**

**03**

**04**

**05**

 □ 안에 알맞은 수를 써넣으시오. (01~03)

**01**

$11 \times 7$ ➡ $\begin{bmatrix} 10 \times 7 = \boxed{\phantom{00}} \\ 1 \times 7 = \boxed{\phantom{00}} \end{bmatrix}$ ➡ $11 \times 7 = \boxed{\phantom{00}}$

**02**

$23 \times 3$ ➡ $\begin{bmatrix} 20 \times 3 = \boxed{\phantom{00}} \\ 3 \times 3 = \boxed{\phantom{00}} \end{bmatrix}$ ➡ $23 \times 3 = \boxed{\phantom{00}}$

**03**

$12 \times 3$ ➡ $\begin{bmatrix} 10 \times 3 = \boxed{\phantom{00}} \\ 2 \times 3 = \boxed{\phantom{00}} \end{bmatrix}$ ➡ $12 \times 3 = \boxed{\phantom{00}}$

 계산을 하시오. (04~09)

**04**
$$\begin{array}{r} 1\ 3 \\ \times\ \ \ 2 \\ \hline \end{array}$$

**05**
$$\begin{array}{r} 2\ 2 \\ \times\ \ \ 3 \\ \hline \end{array}$$

**06**
$$\begin{array}{r} 1\ 4 \\ \times\ \ \ 2 \\ \hline \end{array}$$

**07**
$$\begin{array}{r} 3\ 2 \\ \times\ \ \ 3 \\ \hline \end{array}$$

**08**
$$\begin{array}{r} 4\ 4 \\ \times\ \ \ 2 \\ \hline \end{array}$$

**09**
$$\begin{array}{r} 3\ 1 \\ \times\ \ \ 2 \\ \hline \end{array}$$

 계산을 하시오. (10~15)

**10**  $12 \times 2$

**11**  $21 \times 4$

**12**  $31 \times 3$

**13**  $24 \times 2$

**14**  $33 \times 3$

**15**  $22 \times 4$

**16** 주어진 곱셈식에서 ♡는 1보다 큰 한 자리 수입니다. 올림이 없는 여러 가지 곱셈식을 만들어 보시오.

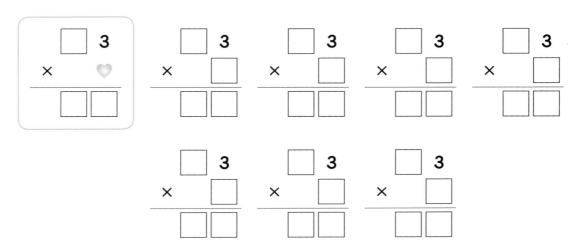

 주어진 곱셈식을 성립시키는 올림이 없는 여러 가지 곱셈식을 만들어 보시오. (단, 서로 다른 모양은 서로 다른 숫자입니다.) (17~18)

**17**

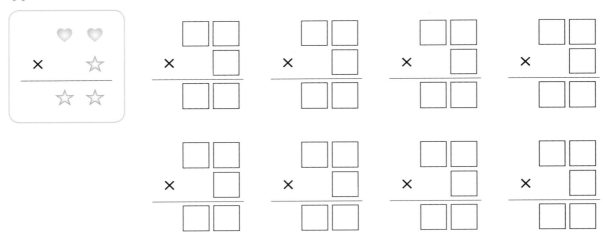

**18**

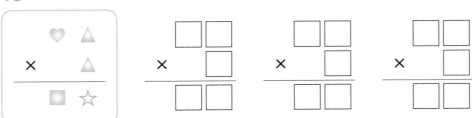

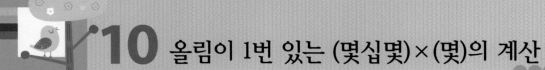

# 10 올림이 1번 있는 (몇십몇)×(몇)의 계산

## 개념

**1. 42×3의 계산(십의 자리에서 올림이 있는 계산)**

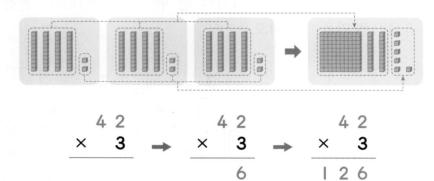

$$\begin{array}{r} 4\,2 \\ \times\quad 3 \\ \hline \end{array} \rightarrow \begin{array}{r} 4\,2 \\ \times\quad 3 \\ \hline 6 \end{array} \rightarrow \begin{array}{r} 4\,2 \\ \times\quad 3 \\ \hline 1\,2\,6 \end{array}$$

**2. 15×3의 계산(일의 자리에서 올림이 있는 계산)**

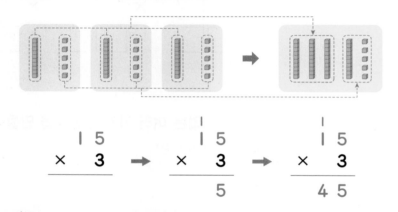

$$\begin{array}{r} 1\,5 \\ \times\quad 3 \\ \hline \end{array} \rightarrow \begin{array}{r} 1\,5 \\ \times\quad 3 \\ \hline 5 \end{array} \rightarrow \begin{array}{r} \overset{1}{1}\,5 \\ \times\quad 3 \\ \hline 4\,5 \end{array}$$

수 모형을 보고 □ 안에 알맞은 수를 써넣으시오. (01~02)

**01**

(1) 53＋53＋53＝ ☐

(2) 53×3＝ ☐

**02**

(1) 23＋23＋23＋23＝ ☐

(2) 23×4＝ ☐

□ 안에 알맞은 수를 써넣으시오. (03~04)

**03**

$62 \times 3$ → $\begin{bmatrix} 60 \times 3 = \boxed{\phantom{00}} \\ 2 \times 3 = \boxed{\phantom{00}} \end{bmatrix}$ → $62 \times 3 = \boxed{\phantom{00}}$

**04**

$27 \times 2$ → $\begin{bmatrix} 20 \times 2 = \boxed{\phantom{00}} \\ 7 \times 2 = \boxed{\phantom{00}} \end{bmatrix}$ → $27 \times 2 = \boxed{\phantom{00}}$

 계산을 하시오. (05~10)

**05**
$$\begin{array}{r} 5\,2 \\ \times \quad 4 \\ \hline \end{array}$$

**06**
$$\begin{array}{r} 6\,4 \\ \times \quad 2 \\ \hline \end{array}$$

**07**
$$\begin{array}{r} 7\,1 \\ \times \quad 5 \\ \hline \end{array}$$

**08**
$$\begin{array}{r} 2\,8 \\ \times \quad 3 \\ \hline \end{array}$$

**09**
$$\begin{array}{r} 1\,9 \\ \times \quad 5 \\ \hline \end{array}$$

**10**
$$\begin{array}{r} 3\,8 \\ \times \quad 2 \\ \hline \end{array}$$

 계산을 하시오. (11~18)

**11** $42 \times 4$

**12** $16 \times 6$

**13** $51 \times 6$

**14** $25 \times 3$

**15** $82 \times 3$

**16** $29 \times 2$

**17** $73 \times 3$

**18** $37 \times 2$

 □ 안에 알맞은 숫자를 써넣으시오. (01~09)

**01**
```
    1 9
×     □
  □ 7
```

**02**
```
    2 3
×     □
  □ 2
```

**03**
```
    3 6
×     □
  □ 2
```

**04**
```
    8 4
×     □
  1 □ 8
```

**05**
```
    5 2
×     □
  □ 0 8
```

**06**
```
    4 3
×     □
  □ □ 9
```

**07**
```
    □ 3
×     □
  □ 4 6
```

**08**
```
    □ 2
×     □
  □ 4 6
```

**09**
```
    □ 3
×     □
  □ 7 9
```

 주어진 두 곱셈식이 성립할 때 ♥와 ▲을 각각 구하시오. (단, ♥와 ▲은 서로 다른 숫자입니다.) (10~12)

**10**

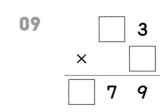

$$♥5 × 3 = ▲5 \qquad ▲5 × 2 = 90$$

♥= □      ▲= □

**11**

$$♥3 × 4 = ▲2 \qquad ▲2 × 3 = 276$$

♥= □      ▲= □

**12**

$$♥4 × 3 = ▲2 \qquad ▲2 × 3 = 216$$

♥= □      ▲= □

주어진 식은 올림이 1번 있는 곱셈식입니다. 서로 다른 모양은 서로 다른 숫자일 때, 조건에 맞는 여러 가지 곱셈식을 만들어 보시오. (13~15)

**13**

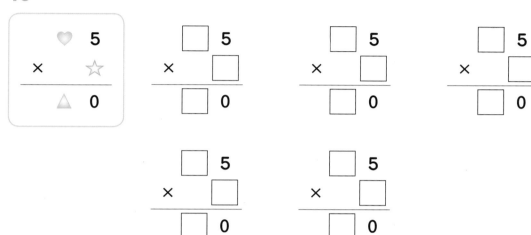

**14**

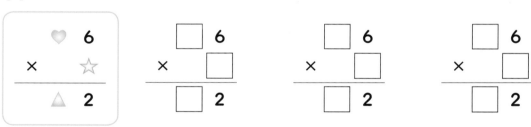

**15**

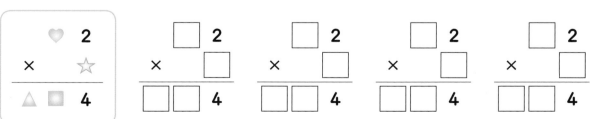

 빈칸에 숫자를 써넣어 여러 가지 곱셈식을 만들어 보시오. (01~02)

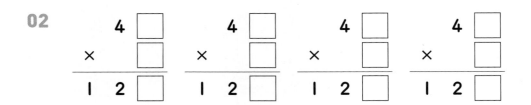

01

```
  3 □      3 □      3 □      3 □      3 □
×   □    ×   □    ×   □    ×   □    ×   □
  7 □      7 □      7 □      7 □      7 □
```

02

```
  4 □      4 □      4 □      4 □
×   □    ×   □    ×   □    ×   □
1 2 □    1 2 □    1 2 □    1 2 □
```

보기 에서 규칙을 찾아 빈 곳에 알맞은 수를 써넣으시오. (03~05)

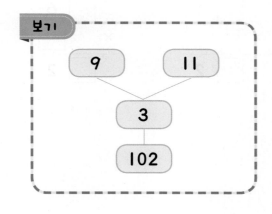

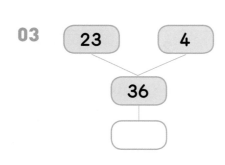

03

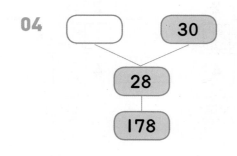

04

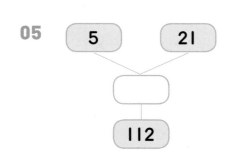

05

주어진 식을 성립시키는 올림이 1번 있는 곱셈식을 만들어 보시오. (단, 서로 다른 모양은 서로 다른 숫자입니다.) (06~11)

**06**

$$
\begin{array}{r}
9 \ \heartsuit \\
\times \quad \heartsuit \\
\hline
\triangle \ \star \ \blacksquare
\end{array}
$$

$$
\begin{array}{r}
9 \ \square \\
\times \quad \square \\
\hline
\square \ \square \ \square
\end{array}
$$

$$
\begin{array}{r}
9 \ \square \\
\times \quad \square \\
\hline
\square \ \square \ \square
\end{array}
$$

**07**

$$
\begin{array}{r}
8 \ \heartsuit \\
\times \quad \heartsuit \\
\hline
\triangle \ \star \ \blacksquare
\end{array}
$$

$$
\begin{array}{r}
8 \ \square \\
\times \quad \square \\
\hline
\square \ \square \ \square
\end{array}
$$

$$
\begin{array}{r}
8 \ \square \\
\times \quad \square \\
\hline
\square \ \square \ \square
\end{array}
$$

**08**

$$
\begin{array}{r}
7 \ \heartsuit \\
\times \quad \heartsuit \\
\hline
\triangle \ \star \ \blacksquare
\end{array}
$$

$$
\begin{array}{r}
7 \ \square \\
\times \quad \square \\
\hline
\square \ \square \ \square
\end{array}
$$

**09**

$$
\begin{array}{r}
6 \ \heartsuit \\
\times \quad \heartsuit \\
\hline
\triangle \ \star \ \blacksquare
\end{array}
$$

$$
\begin{array}{r}
6 \ \square \\
\times \quad \square \\
\hline
\square \ \square \ \square
\end{array}
$$

**10**

$$
\begin{array}{r}
5 \ \heartsuit \\
\times \quad \heartsuit \\
\hline
\triangle \ \star \ \blacksquare
\end{array}
$$

$$
\begin{array}{r}
5 \ \square \\
\times \quad \square \\
\hline
\square \ \square \ \square
\end{array}
$$

$$
\begin{array}{r}
5 \ \square \\
\times \quad \square \\
\hline
\square \ \square \ \square
\end{array}
$$

**11**

$$
\begin{array}{r}
4 \ \heartsuit \\
\times \quad \heartsuit \\
\hline
\triangle \ \star \ \blacksquare
\end{array}
$$

$$
\begin{array}{r}
4 \ \square \\
\times \quad \square \\
\hline
\square \ \square \ \square
\end{array}
$$

 실력 점검

 □ 안에 알맞은 수를 써넣으시오. (01~02)

**01**
$43 \times 3 \rightarrow$ ┌ $40 \times 3 = \boxed{\phantom{00}}$ ┐ $\rightarrow$ $43 \times 3 = \boxed{\phantom{00}}$
└ $3 \times 3 = \boxed{\phantom{00}}$ ┘

**02**
$26 \times 3 \rightarrow$ ┌ $20 \times 3 = \boxed{\phantom{00}}$ ┐ $\rightarrow$ $26 \times 3 = \boxed{\phantom{00}}$
└ $6 \times 3 = \boxed{\phantom{00}}$ ┘

 계산을 하시오. (03~08)

**03**
```
    6 2
  ×   4
```

**04**
```
    5 1
  ×   3
```

**05**
```
    7 3
  ×   2
```

**06**
```
    2 7
  ×   3
```

**07**
```
    3 9
  ×   2
```

**08**
```
    2 5
  ×   3
```

 계산을 하시오. (09~16)

**09**  $31 \times 4$

**10**  $29 \times 2$

**11**  $52 \times 4$

**12**  $36 \times 2$

**13**  $63 \times 3$

**14**  $17 \times 5$

**15**  $72 \times 3$

**16**  $24 \times 3$

 □ 안에 알맞은 수를 써넣으시오. (17~22)

**17**

```
    2 9
  ×   □
  ───────
    □ 7
```

**18**

```
    2 4
  ×   □
  ───────
    □ 2
```

**19**

```
    3 8
  ×   □
  ───────
    □ 6
```

**20**

```
    □ 3
  ×   □
  ───────
  □ 6 6
```

**21**

```
    □ 2
  ×   □
  ───────
  □ 8 6
```

**22**

```
    □ 3
  ×   □
  ───────
  □ 4 9
```

**23** 주어진 식은 올림이 1번 있는 곱셈식입니다. 서로 다른 모양은 서로 다른 숫자일 때, 조건에 맞는 여러 가지 곱셈식을 만들어 보시오.

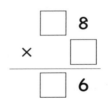

```
    ♥ 8
  ×   ☆
  ───────
    △ 6
```

```
    □ 8
  ×   □
  ───────
  □   6
```

```
    □ 8
  ×   □
  ───────
  □   6
```

```
    □ 8
  ×   □
  ───────
  □   6
```

 주어진 두 곱셈식이 성립할 때 ♥와 △을 각각 구하시오. (단, ♥와 △은 서로 다른 숫자입니다.) (24~25)

**24**

$$♥4 \times 2 = △8 \qquad △5 \times 3 = 75$$

♥ = □     △ = □

**25**

$$♥2 \times 4 = △8 \qquad △2 \times 3 = 246$$

♥ = □     △ = □

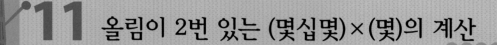

# 11 올림이 2번 있는 (몇십몇)×(몇)의 계산

**개념**

· **45×3의 계산**

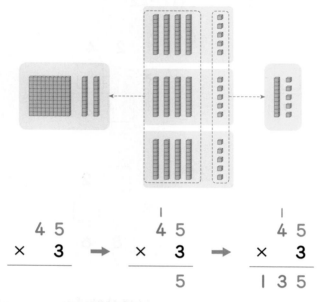

$$\begin{array}{r} 4\ 5 \\ \times \quad 3 \\ \hline \end{array} \rightarrow \begin{array}{r} \overset{1}{4}\ 5 \\ \times \quad 3 \\ \hline 5 \end{array} \rightarrow \begin{array}{r} \overset{1}{4}\ 5 \\ \times \quad 3 \\ \hline 1\ 3\ 5 \end{array}$$

① 5×3=15이므로 일의 자리에 5를 쓰고, 십의 자리 숫자 1을 작게 적어 올림하는 수를 표시합니다.

② 4×3=12이므로 올림한 수 1을 더하여 십의 자리에 3을 쓰고, 백의 자리에 1을 씁니다.

 수 모형을 보고 □ 안에 알맞은 수를 써넣으시오. (01~02)

**01**

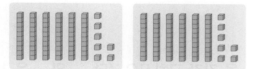

십 모형의 수 : 6×2=□

일 모형의 수 : 7×2=□

➡ 67×2=□

**02**

십 모형의 수 : 3×5=□

일 모형의 수 : 4×5=□

➡ 34×5=□

**03**

$63 \times 4$ ➡ $\begin{array}{l} 60 \times 4 = \boxed{\phantom{00}} \\ 3 \times 4 = \boxed{\phantom{00}} \end{array}$ ➡ $63 \times 4 = \boxed{\phantom{000}}$

**04**

$76 \times 3$ ➡ $\begin{array}{l} 70 \times 3 = \boxed{\phantom{00}} \\ 6 \times 3 = \boxed{\phantom{00}} \end{array}$ ➡ $76 \times 3 = \boxed{\phantom{000}}$

🌸 계산을 하시오. (05~10)

**05**
$$\begin{array}{r} 2\ 5 \\ \times \quad 5 \\ \hline \end{array}$$

**06**
$$\begin{array}{r} 3\ 8 \\ \times \quad 7 \\ \hline \end{array}$$

**07**
$$\begin{array}{r} 4\ 2 \\ \times \quad 6 \\ \hline \end{array}$$

**08**
$$\begin{array}{r} 7\ 8 \\ \times \quad 2 \\ \hline \end{array}$$

**09**
$$\begin{array}{r} 5\ 4 \\ \times \quad 5 \\ \hline \end{array}$$

**10**
$$\begin{array}{r} 9\ 5 \\ \times \quad 4 \\ \hline \end{array}$$

 계산을 하시오. (11~18)

**11** $66 \times 4$

**12** $56 \times 2$

**13** $39 \times 5$

**14** $86 \times 2$

**15** $54 \times 8$

**16** $64 \times 3$

**17** $73 \times 5$

**18** $92 \times 6$

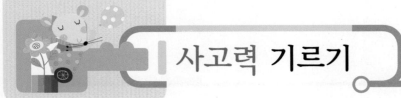

빈칸에 알맞은 숫자를 써넣어 곱셈식을 완성하시오. (01~08)

01
```
    3 □
  ×   7
  ────────
  □ □ 5
```

02
```
    4 □
  ×   3
  ────────
  □ □ 8
```

03
```
    5 □
  ×   9
  ────────
  □ □ 3
```

04
```
    □ 3
  ×   □
  ────────
  3 0 1
```

05
```
    □ 6
  ×   □
  ────────
  4 3 0
```

06
```
    □ 4
  ×   □
  ────────
  3 8 4
```

07
```
    5 □
  ×   □
  ────────
  □ □ 1
```
```
    5 □
  ×   □
  ────────
  □ □ 1
```
```
    5 □
  ×   □
  ────────
  □ □ 1
```

08
```
    4 □
  ×   □
  ────────
  □ □ 5
```
```
    4 □
  ×   □
  ────────
  □ □ 5
```
```
    4 □
  ×   □
  ────────
  □ □ 5
```
```
    4 □
  ×   □
  ────────
  □ □ 5
```
```
    4 □
  ×   □
  ────────
  □ □ 5
```
```
    4 □
  ×   □
  ────────
  □ □ 5
```
```
    4 □
  ×   □
  ────────
  □ □ 5
```
```
    4 □
  ×   □
  ────────
  □ □ 5
```

보기 에서 규칙을 찾아 빈 곳에 알맞은 수를 써넣으시오. (09~15)

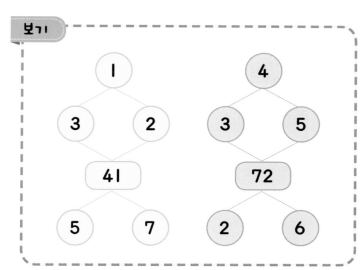

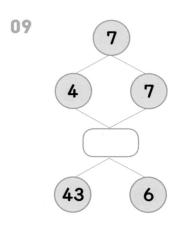

09

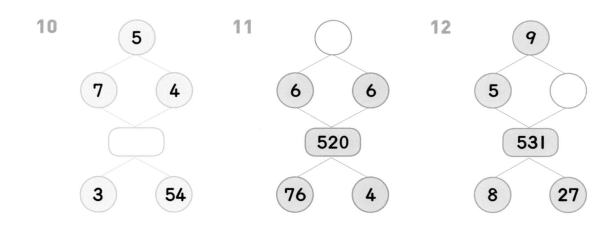

10   11   12

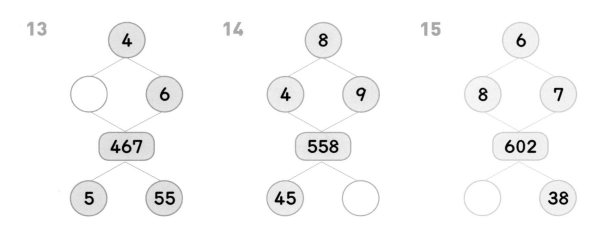

13   14   15

주어진 식을 성립시키는 여러 가지 곱셈식을 만들어 보시오. (단, 모양이 서로 다르더라도 나타내는 숫자는 같을 수 있습니다.) (01~03)

01

$$5 \ \heartsuit \times \ \star \over 3 \ \triangle \ 4$$

$$5 \ \square \times \ \square \over 3 \ \square \ 4$$

$$5 \ \square \times \ \square \over 3 \ \square \ 4$$

$$5 \ \square \times \ \square \over 3 \ \square \ 4$$

02

$$4 \ \heartsuit \times \ \star \over 3 \ \triangle \ 6$$

$$4 \ \square \times \ \square \over 3 \ \square \ 6$$

$$4 \ \square \times \ \square \over 3 \ \square \ 6$$

$$4 \ \square \times \ \square \over 3 \ \square \ 6$$

$$4 \ \square \times \ \square \over 3 \ \square \ 6$$

03

$$3 \ \heartsuit \times \ \star \over 2 \ \triangle \ 8$$

$$3 \ \square \times \ \square \over 2 \ \square \ 8$$

$$3 \ \square \times \ \square \over 2 \ \square \ 8$$

$$3 \ \square \times \ \square \over 2 \ \square \ 8$$

$$3 \ \square \times \ \square \over 2 \ \square \ 8$$

$$3 \ \square \times \ \square \over 2 \ \square \ 8$$

를 참고하여 ♥에 알맞은 수를 구하시오. (04~09)

보기

36×8과 9×32의 계산 결과는 288로 같습니다. 이때, 두 곱셈식의 관계에서 다음과 같은 규칙을 찾을 수 있습니다.

$$\overset{\div 4}{36 \times 8} = \underset{\times 4}{9 \times 32}$$

04    72×8=♥×64    ♥=☐

05    28×9=4×♥    ♥=☐

06    ♥×7=8×42    ♥=☐

07    45×♥=9×25    ♥=☐

08    ♥×7=9×28    ♥=☐

09    27×8=9×♥    ♥=☐

 □ 안에 알맞은 수를 써넣으시오. (01~02)

**01**
$34 \times 4$ → $\begin{cases} 30 \times 4 = \boxed{\phantom{000}} \\ 4 \times 4 = \boxed{\phantom{000}} \end{cases}$ → $34 \times 4 = \boxed{\phantom{000}}$

**02**
$67 \times 2$ → $\begin{cases} 60 \times 2 = \boxed{\phantom{000}} \\ 7 \times 2 = \boxed{\phantom{000}} \end{cases}$ → $67 \times 2 = \boxed{\phantom{000}}$

 계산을 하시오. (03~08)

**03**
$\begin{array}{r} 4\ 7 \\ \times\quad 3 \\ \hline \end{array}$

**04**
$\begin{array}{r} 5\ 4 \\ \times\quad 6 \\ \hline \end{array}$

**05**
$\begin{array}{r} 6\ 3 \\ \times\quad 7 \\ \hline \end{array}$

**06**
$\begin{array}{r} 3\ 6 \\ \times\quad 4 \\ \hline \end{array}$

**07**
$\begin{array}{r} 5\ 7 \\ \times\quad 4 \\ \hline \end{array}$

**08**
$\begin{array}{r} 6\ 4 \\ \times\quad 5 \\ \hline \end{array}$

 계산을 하시오. (09~16)

**09**  $29 \times 6$

**10**  $37 \times 8$

**11**  $52 \times 5$

**12**  $68 \times 2$

**13**  $49 \times 4$

**14**  $92 \times 5$

**15**  $36 \times 6$

**16**  $58 \times 7$

 빈칸에 알맞은 숫자를 써넣어 곱셈식을 완성하시오. (17~22)

17
```
    3 □
  ×   7
  ─────
  □ □ 5
```

18
```
    □ 3
  ×   □
  ─────
  3 0 1
```

19
```
    6 6
  ×   □
  ─────
  4 □ 2
```

20
```
    □ 3
  ×   9
  ─────
  3 □ □
```

21
```
    5 □
  ×   □
  ─────
  4 2 4
```

22
```
    □ □
  ×   7
  ─────
  2 □ 2
```

 빈칸에 숫자를 써넣어 여러 가지 곱셈식을 만들어 보시오. (23~24)

23
```
    6 □         6 □         6 □
  ×   □       ×   □       ×   □
  ─────       ─────       ─────
  □ □ 1       □ □ 1       □ □ 1
```

24
```
    8 □         8 □         8 □
  ×   □       ×   □       ×   □
  ─────       ─────       ─────
  □ □ 3       □ □ 3       □ □ 3
```

25  주어진 식을 성립시키는 여러 가지 곱셈식을 만들어 보시오. (단, 모양이 서로 다르더라도 나타내는 숫자는 같을 수 있습니다.)

```
    4 ♡         4 □         4 □         4 □
  ×   ☆       ×   □       ×   □       ×   □
  ─────       ─────       ─────       ─────
  2 △ 4       2 □ 4       2 □ 4       2 □ 4
```

# 12 길이의 합과 차

개념

## 1. 길이의 합

$$3\,cm\;\;5\,mm$$
$$+2\,cm\;\;7\,mm$$
$$\Rightarrow$$
$$\overset{1}{3}\,cm\;\;5\,mm$$
$$+2\,cm\;\;7\,mm$$
$$2\,mm$$
$$\Rightarrow$$
$$\overset{1}{3}\,cm\;\;5\,mm$$
$$+2\,cm\;\;7\,mm$$
$$6\,cm\;\;2\,mm$$

$$5\,m\;\;65\,cm$$
$$+3\,m\;\;45\,cm$$
$$\Rightarrow$$
$$\overset{1}{5}\,m\;\;65\,cm$$
$$+3\,m\;\;45\,cm$$
$$10\,cm$$
$$\Rightarrow$$
$$\overset{1}{5}\,m\;\;65\,cm$$
$$+3\,m\;\;45\,cm$$
$$9\,m\;\;10\,cm$$

$$4\,km\;\;500\,m$$
$$+3\,km\;\;700\,m$$
$$\Rightarrow$$
$$\overset{1}{4}\,km\;\;500\,m$$
$$+3\,km\;\;700\,m$$
$$200\,m$$
$$\Rightarrow$$
$$\overset{1}{4}\,km\;\;500\,m$$
$$+3\,km\;\;700\,m$$
$$8\,km\;\;200\,m$$

## 2. 길이의 차

$$4\,cm\;\;3\,mm$$
$$-1\,cm\;\;7\,mm$$
$$\Rightarrow$$
$$\overset{3}{\cancel{4}}\,cm\;\;\overset{10}{3}\,mm$$
$$-1\,cm\;\;7\,mm$$
$$6\,mm$$
$$\Rightarrow$$
$$\overset{3}{\cancel{4}}\,cm\;\;\overset{10}{3}\,mm$$
$$-1\,cm\;\;7\,mm$$
$$2\,cm\;\;6\,mm$$

$$5\,m\;\;40\,cm$$
$$-2\,m\;\;60\,cm$$
$$\Rightarrow$$
$$\overset{4}{\cancel{5}}\,m\;\;\overset{100}{40}\,cm$$
$$-2\,m\;\;60\,cm$$
$$80\,cm$$
$$\Rightarrow$$
$$\overset{4}{\cancel{5}}\,m\;\;\overset{100}{40}\,cm$$
$$-2\,m\;\;60\,cm$$
$$2\,m\;\;80\,cm$$

$$7\,km\;\;500\,m$$
$$-5\,km\;\;800\,m$$
$$\Rightarrow$$
$$\overset{6}{\cancel{7}}\,km\;\;\overset{1000}{500}\,m$$
$$-5\,km\;\;800\,m$$
$$700\,m$$
$$\Rightarrow$$
$$\overset{6}{\cancel{7}}\,km\;\;\overset{1000}{500}\,m$$
$$-5\,km\;\;800\,m$$
$$1\,km\;\;700\,m$$

□ 안에 알맞은 수를 써넣으시오. (01~03)

**01**  5 cm 9 mm + 4 cm 8 mm = ☐ cm ☐ mm

**02**  4 m 70 cm + 3 m 65 cm = ☐ m ☐ cm

**03**  7 km 800 m + 2 km 900 m = ☐ km ☐ m

□ 안에 알맞은 수를 써넣으시오. (04~06)

04  6 cm 5 mm − 2 cm 8 mm = ☐ cm ☐ mm

05  9 m 45 cm − 3 m 70 cm = ☐ m ☐ cm

06  8 km 600 m − 4 km 900 m = ☐ km ☐ m

 계산을 하시오. (07~12)

07  3 cm 6 mm + 5 cm 7 mm

08  10 cm 4 mm − 3 cm 7 mm

09  4 m 45 cm + 3 m 70 cm

10  9 m 40 cm − 3 m 60 cm

11  4 km 600 m + 5 km 400 m

12  8 km 250 m − 2 km 500 m

 계산을 하시오. (13~18)

13      4 cm  8 mm
     + 5 cm  7 mm

14      9 cm  2 mm
     − 4 cm  8 mm

15      6 m  75 cm
     + 8 m  45 cm

16     12 m  30 cm
     −  7 m  50 cm

17      4 km  600 m
     + 2 km  800 m

18     14 km  350 m
     −  9 km  450 m

 빈칸에 알맞은 수를 써넣어 덧셈식을 완성하시오. (01~12)

**01**

$$\begin{array}{r} 29 \text{ cm } 8 \text{ mm} \\ + \boxed{\phantom{00}} \text{ cm } \boxed{\phantom{0}} \text{ mm} \\ \hline 82 \text{ cm } 4 \text{ mm} \end{array}$$

**02**

$$\begin{array}{r} 48 \text{ cm } \boxed{\phantom{0}} \text{ mm} \\ + \boxed{\phantom{00}} \text{ cm } 9 \text{ mm} \\ \hline 95 \text{ cm } 7 \text{ mm} \end{array}$$

**03**

$$\begin{array}{r} \boxed{\phantom{00}} \text{ cm } 5 \text{ mm} \\ + 88 \text{ cm } \boxed{\phantom{0}} \text{ mm} \\ \hline 155 \text{ cm } 1 \text{ mm} \end{array}$$

**04**

$$\begin{array}{r} \boxed{\phantom{00}} \text{ cm } \boxed{\phantom{0}} \text{ mm} \\ + 97 \text{ cm } 7 \text{ mm} \\ \hline 174 \text{ cm } 4 \text{ mm} \end{array}$$

**05**

$$\begin{array}{r} 57 \text{ m } \boxed{\phantom{00}} \text{ cm} \\ + \boxed{\phantom{00}} \text{ m } 77 \text{ cm} \\ \hline 106 \text{ m } 43 \text{ cm} \end{array}$$

**06**

$$\begin{array}{r} \boxed{\phantom{00}} \text{ m } 55 \text{ cm} \\ + 76 \text{ m } \boxed{\phantom{00}} \text{ cm} \\ \hline 161 \text{ m } 3 \text{ cm} \end{array}$$

**07**

$$\begin{array}{r} \boxed{\phantom{00}} \text{ m } 49 \text{ cm} \\ + 329 \text{ m } \boxed{\phantom{00}} \text{ cm} \\ \hline 515 \text{ m } 5 \text{ cm} \end{array}$$

**08**

$$\begin{array}{r} 267 \text{ m } \boxed{\phantom{00}} \text{ cm} \\ + \boxed{\phantom{00}} \text{ m } 69 \text{ cm} \\ \hline 527 \text{ m } 42 \text{ cm} \end{array}$$

**09**

$$\begin{array}{r} \boxed{\phantom{00}} \text{ km } 523 \text{ m} \\ + 25 \text{ km } \boxed{\phantom{00}} \text{ m} \\ \hline 42 \text{ km } 172 \text{ m} \end{array}$$

**10**

$$\begin{array}{r} 38 \text{ km } \boxed{\phantom{00}} \text{ m} \\ + \boxed{\phantom{00}} \text{ km } 544 \text{ m} \\ \hline 91 \text{ km } 43 \text{ m} \end{array}$$

**11**

$$\begin{array}{r} 254 \text{ km } \boxed{\phantom{00}} \text{ m} \\ + \boxed{\phantom{00}} \text{ km } 492 \text{ m} \\ \hline 383 \text{ km } 230 \text{ m} \end{array}$$

**12**

$$\begin{array}{r} \boxed{\phantom{00}} \text{ km } 626 \text{ m} \\ + 154 \text{ km } \boxed{\phantom{00}} \text{ m} \\ \hline 574 \text{ km } 24 \text{ m} \end{array}$$

**빈칸에 알맞은 수를 써넣어 뺄셈식을 완성하시오. (13~24)**

**13**
```
      □ cm  3 mm
  −  18 cm  □ mm
     33 cm  8 mm
```

**14**
```
      □ cm  4 mm
  −  27 cm  □ mm
     45 cm  6 mm
```

**15**
```
     46 cm  □ mm
  −   □ cm  9 mm
     30 cm  6 mm
```

**16**
```
     61 cm  □ mm
  −   □ cm  7 mm
     32 cm  9 mm
```

**17**
```
      □ m  64 cm
  −  38 m   □ cm
     46 m  36 cm
```

**18**
```
      □ m  96 cm
  −  45 m   □ cm
     27 m  51 cm
```

**19**
```
    276 m   □ cm
  −   □ m  52 cm
    191 m  65 cm
```

**20**
```
    634 m   □ cm
  −   □ m  36 cm
    376 m  83 cm
```

**21**
```
      □ km  342 m
  −   8 km   □ m
      4 km  183 m
```

**22**
```
      □ km  633 m
  −  17 km   □ m
     38 km  389 m
```

**23**
```
    345 km   □ m
  −   □ km  567 m
    219 km  676 m
```

**24**
```
    624 km   □ m
  −   □ km  428 m
    285 km  757 m
```

## 사고력 기르기

 주어진 조건에 맞도록 빈칸에 알맞은 수를 써넣으시오. (단, 같은 표시는 같은 길이입니다.) (01~02)

**01**

☐ cm      ☐ cm

I m 24 cm

(세 변의 길이의 합)=3 m 4 cm

**02**

I m 32 cm

☐ m ☐ cm      2 m

2 m 52 cm

(네 변의 길이의 합)=7 m 44 cm

 주어진 식에서 ♥가 될 수 있는 자연수는 모두 몇 개인지 구하시오. (03~06)

**03**      52 m 43 cm+18 m ♥ cm > 71 m      (      )개

**04**      46 m 56 cm+36 m ♥ cm > 83 m      (      )개

**05**      13 km 952 m−9 km ♥ m < 4 km      (      )개

**06**      25 km 899 m−15 km ♥ m < 10 km      (      )개

**07** 주어진 세 장의 색 테이프 중 **2**장 이상 사용하여 잴 수 있는 길이를 모두 구해
보시오.

1 m 38 cm

2 m 70 cm

3 m 85 cm

☐ m ☐ cm + ☐ m ☐ cm = ☐ m ☐ cm

☐ m ☐ cm + ☐ m ☐ cm = ☐ m ☐ cm

☐ m ☐ cm + ☐ m ☐ cm = ☐ m ☐ cm

☐ m ☐ cm − ☐ m ☐ cm = ☐ m ☐ cm

☐ m ☐ cm − ☐ m ☐ cm = ☐ m ☐ cm

☐ m ☐ cm − ☐ m ☐ cm = ☐ m ☐ cm

☐ m ☐ cm + ☐ m ☐ cm − ☐ m ☐ cm = ☐ cm

☐ m ☐ cm + ☐ m ☐ cm − ☐ m ☐ cm = ☐ m ☐ cm

☐ m ☐ cm + ☐ m ☐ cm − ☐ m ☐ cm = ☐ m ☐ cm

☐ m ☐ cm + ☐ m ☐ cm + ☐ m ☐ cm = ☐ m ☐ cm

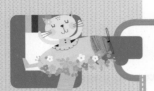  

# 실력 점검

 **계산을 하시오.** (01~12)

01　6 cm 7 mm＋4 cm 5 mm

02　8 cm 7 mm＋1 cm 3 mm

03　5 m 70 cm＋4 m 50 cm

04　7 m 50 cm＋8 m 60 cm

05　4 km 250 m＋3 km 800 m

06　9 km 600 m＋3 km 800 m

07　5 cm 4 mm－2 cm 7 mm

08　8 cm 3 mm－3 cm 6 mm

09　7 m 25 cm－5 m 40 cm

10　11 m 40 cm－7 m 50 cm

11　6 km 250 m－3 km 500 m

12　9 km 700 m－4 km 950 m

 **계산을 하시오.** (13~18)

13　　8 cm 7 mm
　　＋4 cm 6 mm

14　　12 cm 8 mm
　　－ 4 cm 9 mm

15　　5 m 75 cm
　　＋4 m 65 cm

16　　9 m 40 cm
　　－3 m 75 cm

17　　7 km 650 m
　　＋4 km 800 m

18　　13 km 600 m
　　－ 7 km 800 m

 빈칸에 알맞은 수를 써넣어 덧셈식과 뺄셈식을 완성하시오. (19~26)

19
```
    30 cm  6 mm
+ [   ] cm [   ] mm
─────────────────
    75 cm  2 mm
```

20
```
    38 cm [   ] mm
+ [   ] cm  9 mm
─────────────────
    90 cm  6 mm
```

21
```
   180 km [   ] m
+ [   ] km  490 m
─────────────────
   301 km  250 m
```

22
```
 [   ] km  520 m
+  154 km [   ] m
─────────────────
   570 km   40 m
```

23
```
 [   ] cm  3 mm
-  18 cm [   ] mm
─────────────────
   30 cm  5 mm
```

24
```
 [   ] cm  5 mm
-  20 cm [   ] mm
─────────────────
   45 cm  6 mm
```

25
```
 [   ] km  350 m
-   8 km [   ] m
─────────────────
    5 km  190 m
```

26
```
 [   ] km  630 m
-  17 km [   ] m
─────────────────
   40 km  800 m
```

 주어진 식에서 ♡가 될 수 있는 수는 모두 몇 개인지 구하시오. (27~29)

27    63 m 40 cm + 17 m ♡ cm > 81 m      (          )개

28    55 m 50 cm + 37 m ♡ cm > 93 m      (          )개

29    15 km 970 m − 8 km ♡ m < 7 km      (          )개

# 13 시간의 합과 차

## 1. 시간의 합

```
   3시   10분 32초          1시간 15분 30초
 + 1시간 20분 10초        + 2시간 30분 45초
 ──────────────          ──────────────
   4시   30분 42초          3시간 46분 15초
```

- 시 단위는 시 단위끼리, 분 단위는 분 단위끼리, 초 단위는 초 단위끼리 더합니다.
- 1분=60초, 1시간=60분을 이용하여 받아올림이 있으면 받아올려 계산합니다.

## 2. 시간의 차

```
                              5    60
   10시   50분 40초          6시   25분 40초
 −  5시   10분 20초        − 1시간 30분 15초
 ──────────────          ──────────────
   5시간 40분 20초          4시   55분 25초
```

- 시 단위는 시 단위끼리, 분 단위는 분 단위끼리, 초 단위는 초 단위끼리 뺍니다.
- 같은 단위끼리 뺄 수 없을 때에는 받아내림을 하여 계산합니다.

□ 안에 알맞은 수를 써넣으시오. (01~04)

**01** 1시 30분 25초+10분 25초= ☐시 ☐분 ☐초

**02** 5시 10분 40초−5분 30초= ☐시 ☐분 ☐초

**03**
```
   10 시 30 분
 +       45 분
 ──────────────
   ☐ 시 ☐ 분
```

**04**
```
    6 시간 40 분
 −  3 시간 50 분
 ──────────────
   ☐ 시간 ☐ 분
```

**계산을 하시오. (05~10)**

05
```
    3시  15분 30초
+ 1시간 10분 20초
```

06
```
    8시 30분 50초
- 5시  15분 40초
```

07
```
    5시  30분 45초
+ 3시간 40분 10초
```

08
```
    6시  35분 50초
- 2시간 30분 55초
```

09
```
  4시간 45분 35초
+ 5시간 15분 45초
```

10
```
  9시간 25분 20초
- 4시간 30분 40초
```

 **계산을 하시오. (11~16)**

11  4시 25분 32초+1시간 18분 15초

12  3시 15분 50초+4시간 25분 30초

13  2시간 45분 30초+3시간 30분 45초

14  9시 35분 45초-7시 20분 30초

15  4시 50분 35초-1시간 30분 40초

16  8시간 10분 20초-5시간 30분 50초

 **빈칸에 알맞은 수를 써넣어 덧셈식을 완성하시오.** (01~12)

**01**

|  | 7 시 | ☐ 분 | 25 초 |
|---|---|---|---|
| + | ☐ 시간 | 50 분 | 39 초 |
|  | 9 시 | 31 분 | ☐ 초 |

**02**

|  | 2 시 | ☐ 분 | 40 초 |
|---|---|---|---|
| + | ☐ 시간 | 34 분 | 25 초 |
|  | 6 시 | 11 분 | ☐ 초 |

**03**

|  | ☐ 시 | 45 분 | 32 초 |
|---|---|---|---|
| + | 2 시간 | ☐ 분 | 50 초 |
|  | 7 시 | 25 분 | ☐ 초 |

**04**

|  | ☐ 시 | 28 분 | 38 초 |
|---|---|---|---|
| + | 4 시간 | ☐ 분 | 42 초 |
|  | 10 시 | 7 분 | ☐ 초 |

**05**

|  | 7 시 | 56 분 | ☐ 초 |
|---|---|---|---|
| + | ☐ 시간 | 42 분 | 49 초 |
|  | 11 시 | ☐ 분 | 19 초 |

**06**

|  | 3 시 | 43 분 | ☐ 초 |
|---|---|---|---|
| + | ☐ 시간 | 37 분 | 52 초 |
|  | 9 시 | ☐ 분 | 18 초 |

**07**

|  | 2 시간 | 54 분 | ☐ 초 |
|---|---|---|---|
| + | 4 시간 | ☐ 분 | 35 초 |
|  | ☐ 시간 | 15 분 | 25 초 |

**08**

|  | 5 시간 | 29 분 | ☐ 초 |
|---|---|---|---|
| + | 3 시간 | ☐ 분 | 42 초 |
|  | ☐ 시간 | 12 분 | 16 초 |

**09**

|  | ☐ 시간 | 47 분 | ☐ 초 |
|---|---|---|---|
| + | 4 시간 | 38 분 | 40 초 |
|  | 11 시간 | ☐ 분 | 27 초 |

**10**

|  | ☐ 시간 | 58 분 | ☐ 초 |
|---|---|---|---|
| + | 6 시간 | 43 분 | 46 초 |
|  | 15 시간 | ☐ 분 | 38 초 |

**11**

|  | 3 시간 | ☐ 분 | 29 초 |
|---|---|---|---|
| + | ☐ 시간 | 58 분 | ☐ 초 |
|  | 6 시간 | 35 분 | 28 초 |

**12**

|  | 4 시간 | ☐ 분 | 44 초 |
|---|---|---|---|
| + | ☐ 시간 | 49 분 | ☐ 초 |
|  | 9 시간 | 29 분 | 20 초 |

**빈칸에 알맞은 수를 써넣어 뺄셈식을 완성하시오. (13~24)**

13

    ☐ 시   24 분   16 초
−   2 시   ☐ 분   30 초
    4 시간   33 분   ☐ 초

14

    ☐ 시   18 분   21 초
−   2 시   ☐ 분   34 초
    5 시간   37 분   ☐ 초

15

    9 시   35 분   ☐ 초
−   5 시   ☐ 분   40 초
    ☐ 시간   49 분   48 초

16

    11 시   20 분   ☐ 초
−   4 시   ☐ 분   50 초
    ☐ 시간   43 분   52 초

17

    6 시간   30 분   ☐ 초
−   ☐ 시간   55 분   40 초
    4 시간   ☐ 분   51 초

18

    9 시간   48 분   ☐ 초
−   ☐ 시간   50 분   36 초
    5 시간   ☐ 분   44 초

19

    10 시간   21 분   31 초
−   ☐ 시간   42 분   ☐ 초
    4 시간   ☐ 분   39 초

20

    12 시간   12 분   25 초
−   ☐ 시간   30 분   ☐ 초
    2 시간   ☐ 분   50 초

21

    9 시   ☐ 분   12 초
−   ☐ 시간   15 분   25 초
    6 시   52 분   ☐ 초

22

    11 시   ☐ 분   44 초
−   ☐ 시간   43 분   50 초
    5 시   49 분   ☐ 초

23

    ☐ 시   17 분   ☐ 초
−   4 시간   ☐ 분   42 초
    3 시   46 분   45 초

24

    ☐ 시   29 분   ☐ 초
−   1 시간   ☐ 분   45 초
    5 시   52 분   46 초

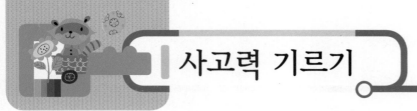
🌸 ☐ 안에 알맞은 수를 써넣어 식을 완성하시오. (01~08)

**01** ☐시간 ☐분＋3시간 36분＋6시간 24분＝11시간 35분

**02** ☐시간 ☐분＋5시간 27분＋7시간 43분＝15시간 23분

**03** 5시 30분＋☐시간 ☐분＋2시간 48분＝9시 33분

**04** 4시 20분＋☐시간 ☐분＋3시간 12분＝10시 27분

**05** ☐시 ☐분－1시간 25분－2시간 39분＝4시 6분

**06** 10시 18분－4시간 30분－☐시간 ☐분＝2시 56분

**07** ☐시간 ☐분－6시간 36분＋2시간 19분＝8시간 5분

**08** 3시 24분＋☐시간 ☐분－2시간 10분＝6시 47분

주어진 두 식이 성립하도록 각각의 모양이 나타내는 수를 구하시오. (09~11)

**09**

$$32 \text{ 분 } ♥ \text{ 초}$$
$$+ \quad ☆ \text{ 분 } 34 \text{ 초}$$
$$\overline{\quad △ \text{ 분 } 3 \text{ 초}}$$

$$16 \text{ 분 } ☆ \text{ 초}$$
$$+ \quad ♥ \text{ 분 } 49 \text{ 초}$$
$$\overline{\quad ■ \text{ 분 } 7 \text{ 초}}$$

♥ = ☐    ☆ = ☐    △ = ☐    ■ = ☐

**10**

$$♥ \text{ 시간 } 37 \text{ 분}$$
$$- \quad 2 \text{ 시간 } ☆ \text{ 분}$$
$$\overline{\quad △ \text{ 시간 } 48 \text{ 분}}$$

$$9 \text{ 시간 } ☆ \text{ 분}$$
$$- \quad ♥ \text{ 시간 } 58 \text{ 분}$$
$$\overline{\quad 2 \text{ 시간 } ■ \text{ 분}}$$

♥ = ☐    ☆ = ☐    △ = ☐    ■ = ☐

**11**

$$4 \text{ 시간 } ♥ \text{ 분}$$
$$+ \quad △ \text{ 시간 } ☆ \text{ 분}$$
$$\overline{\quad 8 \text{ 시간 } 10 \text{ 분}}$$

$$8 \text{ 시간 } 15 \text{ 분}$$
$$- \quad △ \text{ 시간 } ♥ \text{ 분}$$
$$\overline{\quad ■ \text{ 시간 } 33 \text{ 분}}$$

♥ = ☐    ☆ = ☐    △ = ☐    ■ = ☐

# 실력 점검

 **계산을 하시오.** (01~06)

**01**　　　2시　　45분　30초
　　＋ 1시간　15분　40초
　　───────────────

**02**　　　7시　20분　35초
　　－ 3시　15분　50초
　　───────────────

**03**　　　3시　　50분　40초
　　＋ 2시간　20분　15초
　　───────────────

**04**　　　5시　　15분　20초
　　－ 1시간　20분　40초
　　───────────────

**05**　　　6시간　30분　45초
　　＋ 3시간　15분　50초
　　───────────────

**06**　　　9시간　45분　30초
　　－ 6시간　50분　15초
　　───────────────

 **계산을 하시오.** (07~12)

**07**　1시 25분 30초＋2시간 30분 45초

**08**　3시 30분 50초＋4시간 45분 15초

**09**　2시간 15분 40초＋3시간 20분 50초

**10**　8시 30분 15초－2시 40분 30초

**11**　7시 45분 30초－3시간 25분 40초

**12**　9시간 25분 10초－4시간 30분 25초

빈칸에 알맞은 수를 써넣어 덧셈식과 뺄셈식을 완성하시오. (13~20)

**13**
```
    6 시 [  ] 분 25 초
+ [  ] 시간 50 분 44 초
─────────────────────
    8 시   33 분 [  ] 초
```

**14**
```
    2 시 [  ] 분 38 초
+ [  ] 시간 30 분 25 초
─────────────────────
    7 시   12 분 [  ] 초
```

**15**
```
    3 시간 44 분 [  ] 초
+   4 시간 [  ] 분 25 초
─────────────────────
  [  ] 시간 15 분 15 초
```

**16**
```
    3 시간 36 분 [  ] 초
+   3 시간 [  ] 분 42 초
─────────────────────
  [  ] 시간 19 분 16 초
```

**17**
```
  [  ] 시   24 분 20 초
−   2 시 [  ] 분 30 초
─────────────────────
    2 시간 33 분 [  ] 초
```

**18**
```
  [  ] 시   20 분 28 초
−   2 시 [  ] 분 34 초
─────────────────────
    5 시간 39 분 [  ] 초
```

**19**
```
    9 시간 40 분 [  ] 초
− [  ] 시간 55 분 40 초
─────────────────────
    7 시간 [  ] 분 51 초
```

**20**
```
    8 시 [  ] 분 10 초
− [  ] 시간 15 분 25 초
─────────────────────
    5 시   50 분 [  ] 초
```

**21** 주어진 두 식이 성립하도록 각각의 모양이 나타내는 수를 구하시오.

```
    29 분 ♥ 초              12 분 ☆ 초
+   ☆ 분 30 초         +   ♥ 분 42 초
─────────────────        ─────────────────
    △ 분 5 초              ▦ 분 9 초
```

♥ = [  ]    ☆ = [  ]    △ = [  ]    ▦ = [  ]

Memo

정답 및
해설

**3학년** 상권

받아올림이 없는 (세 자리 수)
+(세 자리 수)의 계산 | 4쪽

| | |
|---|---|
| 01 367 | 02 557 |
| 03 395 | |
| 04 7, 9, 7, 3, 9, 7 | |
| 05 9, 7, 9, 7, 7, 9 | |
| 06 468 | 07 389 |
| 08 477 | 09 698 |
| 10 878 | 11 687 |
| 12 866 | 13 568 |
| 14 388 | 15 667 |
| 16 679 | 17 477 |

사고력 기르기 | Step 1 | 6쪽

| | |
|---|---|
| 01 5, 2, 4 | 02 1, 3, 4 |
| 03 4, 4, 2 | 04 2, 2, 3 |
| 05 3, 4, 1 | 06 4, 3, 5 |
| 07 3, 6, 5 | 08 4, 2, 6 |
| 09 1, 2, 6 | 10 4, 5, 6, 7 |
| 11 3, 4, 9, 7 | 12 43 |
| 13 25 | 14 42 |
| 15 12 | 16 7, 8, 9 |
| 17 6, 7, 8, 9 | |
| 18 0, 1, 2, 3, 4, 5 | |
| 19 0, 1, 2, 3, 4 | |
| 20 5 | 21 3 |
| 22 3 | 23 5 |

20 ♥가 될 수 있는 수 중 가장 큰 수를 구하려면
일의 자리 숫자의 합 ♥+3=8이어야 하므로
♥=5입니다.

22 십의 자리 숫자끼리의 합이 7이어야 하므로
♥는 3입니다.

사고력 기르기 | Step 2 | 8쪽

| | |
|---|---|
| 01 114, 132, 3 | 02 443, 431, 422 |
| 03 202, 426, 235 | 04 124, 301, 223 |
| 05 666, 222, 452 | 06 866, 632, 357 |

07 2, 1, 3, 5, 5, 5 / 3, 2, 4, 6, 6, 6 /
4, 3, 5, 7, 7, 7 / 5, 4, 6, 8, 8, 8 /
6, 5, 7, 9, 9, 9

08 4, 1, 2, 6, 6, 6 / 5, 2, 3, 7, 7, 7 /
6, 3, 4, 8, 8, 8 / 7, 4, 5, 9, 9, 9

09 6, 0 / 5, 1 / 4, 2 / 3, 3 / 2, 4 / 1, 5
/ 0, 6

10 5, 0 / 4, 1 / 3, 2 / 2, 3 / 1, 4 / 0, 5

01
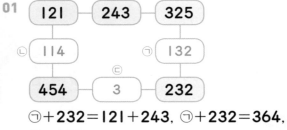

㉠+232=121+243, ㉠+232=364,
㉠=132
㉡+454=243+325, ㉡+454=568,
㉡=114
㉢+232=121+㉡, ㉢+232=121+114,
㉢+232=235, ㉢=3

09 4+△+3=7에서 △=0, ♥+2+■=8에서
♥+■=6임을 알아내어 해결합니다.

10 3+△+4=9에서 △=2, 2+☆+■=7에
서 ☆+■=5임을 알아내어 해결합니다.

실력 점검 | 10쪽

| | | |
|---|---|---|
| 01 8 / 7, 8 / 7, 7, 8 | | |
| 02 8 / 5, 8 / 7, 5, 8 | | |
| 03 360 | 04 577 | 05 898 |
| 06 657 | 07 987 | 08 979 |
| 09 278 | 10 378 | 11 586 |
| 12 788 | 13 789 | 14 899 |
| 15 4 | 16 4 | 17 3 |
| 18 6 | 19 54 | 20 21 |
| 21 35 | 22 20 | |
| 23 5, 3, 4, 8 | 24 4, 6, 5, 9 | |

**15** ♡가 될 수 있는 수 중 가장 큰 수를 구하려면 일의 자리 숫자의 합 ♡+**3**=**7**이어야 하므로 ♡=**4**입니다.

**06** ♡ 2개의 합은 **858**−**414**=**444**이므로 ♡=**222**, □=**351**+**222**=**573** △=**426**+**573**=**999**입니다. 따라서 △−♡=**999**−**222**=**777**

**07** ♡=**111**, ☆=**454**−**111**=**343**, □=**525**+**343**=**868**, □−♡=**868**−**111**=**757**

**08** ♡=**333**, △=**333**+**254**=**587**, □=**102**+**587**=**689**, □−♡=**689**−**333**=**356**

### 개념 02 받아내림이 없는 (세 자리 수) −(세 자리 수)의 계산 | 12쪽

| | | | |
|---|---|---|---|
| **01** **212** | | **02** **122** | |
| **03** **112** | | **04** **141** | |

**05** **2** / **1**, **2** / **4**, **1**, **2**
**06** **2** / **2**, **2** / **2**, **2**, **2**

| | | | |
|---|---|---|---|
| **07** **412** | | **08** **125** | |
| **09** **412** | | **10** **262** | |
| **11** **531** | | **12** **213** | |
| **13** **832** | | **14** **332** | |
| **15** **123** | | **16** **632** | |
| **17** **313** | | **18** **621** | |

### 사고력 기르기 Step 1 | 14쪽

**01** **9**, **4**, **3** / **8**, **3**, **3** / **7**, **2**, **3** / **6**, **1**, **3** / **5**, **0**, **3**
**02** **9**, **6**, **3** / **8**, **5**, **3** / **7**, **4**, **3** / **6**, **3**, **3** / **5**, **2**, **3** / **4**, **1**, **3** / **3**, **0**, **3**

| | | | |
|---|---|---|---|
| **03** **2**, **4**, **7**, **5** | | **04** **2**, **5**, **6**, **3** | |

**05** **9**, **8**, **7**, **6**, **5**, **4** / **8**, **7**, **6**, **5**, **4**, **3** / **7**, **6**, **5**, **4**, **3**, **2** / **6**, **5**, **4**, **3**, **2**, **1** / **5**, **4**, **3**, **2**, **1**, **0**

| | | | |
|---|---|---|---|
| **06** **777** | | **07** **757** | |
| **08** **356** | | | |

**03** 두 번째 뺄셈식에서 ☆=**2**이므로 △=**6**−**2**=**4**, ♡=**4**+**3**=**7**, □=**7**−**2**=**5** 입니다.

### 사고력 기르기 Step 2 | 16쪽

| | | | |
|---|---|---|---|
| **01** **946** | | **02** **623** | |
| **03** **362** | | **04** **293** | |
| **05** **443** | | **06** **435** | |
| **07** **643** | | **08** **545** | |

**09** **9**, **1**, **0**, **8**, **7**, **6** / **8**, **2**, **1**, **7**, **6**, **5** / **7**, **3**, **2**, **6**, **5**, **4** / **6**, **4**, **3**, **5**, **4**, **3** / **5**, **5**, **4**, **4**, **3**, **2** / **4**, **6**, **5**, **3**, **2**, **1** / **3**, **7**, **6**, **2**, **1**, **0**

**10** **9** / 예 ☆=**8**−**5**=**3**이므로 ♡−**4**=**3** 에서 ♡=**7**입니다. 따라서 □−**7**=**2**에서 □=**9**입니다.

**11** **3**, 예 ♡=**7**−**2**=**5**이므로 ☆−**5**=**3**에 서 ☆=**8**입니다. 따라서 **8**−□=**5**에서 □=**3**입니다.

**01** 세로셈으로 바꾸어 생각합니다.
```
  ♡♡5
−3☆☆
───────
  △51
```
☆=**4**이므로 ♡=**5**+**4**=**9**, △=**9**−**3**=**6**입니다.

**09** ♡☆△가 될 수 있는 경우는 **876**, **765**, **654**, **543**, **432**, **321**, **210**입니다.

정답 및 해설 **111**

**01** 2 / 3, 2 / 3, 3, 2
**02** 2 / 2, 2 / 4, 2, 2

| | |
|---|---|
| **03** 412 | **04** 350 |
| **05** 262 | **06** 312 |
| **07** 411 | **08** 531 |
| **09** 222 | **10** 121 |
| **11** 511 | **12** 351 |
| **13** 224 | **14** 471 |
| **15** 466 | **16** 558 |
| **17** 514 | |

**18** 9 / (예) ☆=9−5=4이므로 ♥−4=4에서 ♥=8입니다. 따라서 □−8=1에서 □=9입니다.

**19** 2 / (예) ♥=5−2=3이므로 ☆−3=3에서 ☆=6입니다. 따라서 6−□=4에서 □=2입니다.

**15** ♥ 2개의 합은 767−323=444이므로
♥=222, ■=142+222=364,
△=324+364=688입니다.
따라서 △−♥=688−222=466

**16** ♥=111, ☆=335−111=224,
■=445+224=669,
■−♥=669−111=558

**17** ♥=333, △=333+213=546,
■=301+546=847,
■−♥=847−333=514

| | |
|---|---|
| **01** 384 | **02** 417 |

**03** 1, 4 / 1, 9, 4 / 1, 5, 9, 4
**04** 9 / 1, 4, 9 / 1, 6, 4, 9

| | |
|---|---|
| **05** 395 | **06** 884 |
| **07** 596 | **08** 847 |
| **09** 738 | **10** 909 |
| **11** 373 | **12** 837 |
| **13** 776 | **14** 618 |
| **15** 644 | **16** 939 |

| | |
|---|---|
| **01** 2, 5, 3 | **02** 3, 6, 3 |
| **03** 3, 2, 4 | **04** 7, 5, 9 |
| **05** 3, 6, 8 | **06** 4, 8, 9 |
| **07** 5, 9, 1 | **08** 7, 4, 8 |
| **09** 9, 3, 6 | **10** 3, 5, 4, 7 |
| **11** 4, 7, 5, 8 | **12** 8, 5, 9 |
| **13** 7, 3, 8 | **14** 3, 5, 9 |
| **15** 3, 4, 8 | **16** 5, 7, 2, 1 |

**10** 두 번째 덧셈식에서 ☆=5이므로 첫 번째 덧셈식에서 △=4, ♥=3입니다.
따라서 ■=7입니다.

**12** 일의 자리에서 받아올림이 있는 덧셈입니다.
☆=8이므로 ♥+2+1=8에서 ♥=5,
■=9입니다.

**14** 십의 자리에서 받아올림이 있는 덧셈입니다.
☆=3이므로 8+♥=13에서 ♥=5,
■=1+3+5=9입니다.

**16** 백의 자리에서 받아올림이 있는 덧셈입니다.
☆=5, ♥=7이므로 7+5=△■에서 △=1,
■=2입니다.

| | |
|---|---|
| **01** 564 | **02** 984 |

**03** 7, 3, 2, 1, 9, 5 / 7, 1, 2, 3, 9, 5
**04** 9, 1, 2, 6, 8, 3 / 9, 6, 2, 1, 8, 3 / 8, 1, 3, 6, 9, 2 / 8, 6, 3, 1, 9, 2
**05** 5, 6, 7, 9, 0 / 5, 6, 8, 9, 1 / 5, 6, 9, 9, 2
**06** 1, 4, 5, 5, 1 / 2, 4, 5, 6, 1 / 3, 4, 5, 7, 1 / 1, 3, 5, 5, 0 / 2, 3, 5, 6, 0
**07** 2, 3, 4, 1, 0, 6, 8 / 2, 3, 5, 1, 0, 6, 9 / 2, 4, 5, 1, 0, 7, 9 / 3, 4, 5, 1, 1, 7, 9

**01** 219+345=564

**02** 219+765=984

**05** 더하는 수 ♥△☆에서 △가 **7**과 같거나 **7**보다 크면 십의 자리와 일의 자리에서 각각 받아올림이 되므로 조건에 맞지 않습니다. 따라서 △는 6이고, 받아올림은 일의 자리에서 나타나도록 해야 합니다.

**06** 일의 자리와 백의 자리에서는 받아올림이 없으므로 십의 자리에서 받아올림이 나타나도록 합니다.

**07** 백의 자리에서 받아올림이 있으므로 일의 자리와 십의 자리에서는 받아올림이 없도록 해야 합니다.

**18** 두 번째 덧셈식에서 ☆=**6**이므로 첫 번째 덧셈식에서 △=**5**, ♥=**1**입니다.
따라서 ▢=**7**입니다.

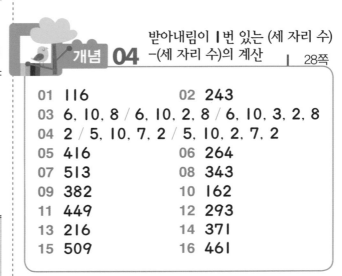

**개념 04** 받아내림이 **1**번 있는 (세 자리 수)
−(세 자리 수)의 계산 | 28쪽

| | | | |
|---|---|---|---|
| **01** 116 | | **02** 243 | |
| **03** 6, 10, 8 / 6, 10, 2, 8 / 6, 10, 3, 2, 8 | | | |
| **04** 2 / 5, 10, 7, 2 / 5, 10, 2, 7, 2 | | | |
| **05** 416 | | **06** 264 | |
| **07** 513 | | **08** 343 | |
| **09** 382 | | **10** 162 | |
| **11** 449 | | **12** 293 | |
| **13** 216 | | **14** 371 | |
| **15** 509 | | **16** 461 | |

---

**15** 일의 자리에서 받아올림이 있는 덧셈입니다.
☆=**7**이므로 ♥+3+1=7에서 ♥=**3**,
▢=**5**입니다.

**16** 십의 자리에서 받아올림이 있는 덧셈입니다.
☆=**2**이므로 9+♥=12에서 ♥=**3**,
▢=1+4+3=**8**입니다.

**17** 백의 자리에서 받아올림이 있는 덧셈입니다.
☆=**4**, ♥=**6**이므로 6+4=△▢에서 △=**1**,
▢=**0**입니다.

**사고력 기르기** Step 1 | 30쪽

| | | | |
|---|---|---|---|
| **01** 8, 3, 9 | | **02** 2, 4, 8 | |
| **03** 3, 2, 3 | | **04** 7, 7, 3 | |
| **05** 9, 4, 9 | | **06** 5, 2, 5 | |
| **07** 5, 3, 3 | | **08** 6, 8, 3 | |
| **09** 2, 4, 4 | | **10** 9, 9, 2 | |
| **11** 6, 4, 4 | | **12** 8, 7, 9 | |
| **13** 4, 2, 3 | | **14** 8, 9, 4 | |
| **15** 6, 7, 8, 9 | | **16** 7, 8, 9 | |
| **17** 0, 1, 2, 3, 4 | | **18** 0, 1, 2, 3 | |
| **19** 222, 103 | | **20** 333, 183 | |

**13** ♥−8=6에서 ♥=14인데 이것은 받아내림한 10이 더해진 수이므로 ♥=14−10=4입니다.

**14** ☆=7−3=4이고 12−△=3에서 △=9, ♡=5+2+1=8입니다.

**15** 563−12□=438로 생각할 때 □ 안에는 5를 넣을 수 있으므로 주어진 식을 만족하려면 □ 안에는 5보다 큰 숫자를 넣어야 합니다.

**19** ♡ 2개의 합은 652−208=444이므로 ♡=222입니다.
따라서 △=222−119=103입니다.

**20** ♡ 2개의 합은 927−261=666이므로 ♡=333입니다.
따라서 △=333−150=183입니다.

---

### 사고력 기르기       **Step 2** | 32쪽

| | | | |
|---|---|---|---|
| **01** 427 | | **02** 539 | |
| **03** 462 | | **04** 572 | |

**05** 2, 7, 3, 6, 5, 8 / 2, 7, 5, 6, 3, 8
**06** 5, 4, 2, 1, 6, 8 / 5, 4, 6, 1, 2, 8 / 1, 8, 2, 5, 6, 4 / 1, 8, 6, 5, 2, 4
**07** 1, 2, 4, 5 / 3, 2, 4, 7 / 5, 2, 4, 9
**08** 0, 4, 2, 3 / 3, 4, 2, 6 / 5, 4, 2, 8 / 6, 4, 2, 9
**09** 9, 7, 3, 8 / 9, 8, 3, 7
**10** 7, 4, 2, 9 / 7, 5, 2, 8 / 7, 8, 2, 5 / 7, 9, 2, 4

**01** 백의 자리에서 볼 때 ☆은 1 또는 2입니다. ☆이 1이면 ♡는 2 또는 3이 되어 뺄셈식이 성립하지 않으므로 ☆은 2입니다. ☆이 2일 때 ♡는 3 또는 4이고 ♡=4일 때 성립하므로 △=7입니다.

**03** 백의 자리에서 볼 때 ♡는 3 또는 4이고 ♡=4일 때 뺄셈식이 성립합니다.

**07** 백의 자리에서 받아내림한 것이 아니므로 십의 자리에서 받아내림한 것입니다. 서로 다른 모양은 서로 다른 숫자임에 유의합니다.

**09** △는 3이 되어 십의 자리에서 받아내림한 것이 아니므로 백의 자리에서 받아내림한 것입니다.

---

### 실력 점검         | 34쪽

| | |
|---|---|
| **01** 4, 10, 8 / 4, 10, 2, 8 / 4, 10, 2, 2, 8 | |
| **02** 1 / 6, 10, 9, 1 / 6, 10, 3, 9, 1 | |
| **03** 119 | **04** 318 |
| **05** 214 | **06** 161 |
| **07** 255 | **08** 273 |
| **09** 615 | **10** 233 |
| **11** 116 | **12** 282 |
| **13** 503 | **14** 531 |
| **15** 9, 2, 7 | **16** 2, 3, 5 |
| **17** 2, 2, 3 | **18** 7, 6, 5 |
| **19** 9, 6, 8 | **20** 5, 2, 4 |
| **21** 6, 3, 3 | **22** 6, 8, 5 |
| **23** 3, 4, 8 | **24** 6, 3, 4 |
| **25** 7, 8, 5 | **26** 537 |
| **27** 328 | |

**24** ♥−7=9에서 ♥=16인데 이것은 받아내림한 10이 더해진 수이므로 ♥=16−10=6입니다.

**25** ☆=8−3=5이고 13−△=5에서 △=8, ♡=3+3+1=7입니다.

**26** 백의 자리에서 볼 때 ☆은 2 또는 3입니다. ☆이 2이면 ♡는 3 또는 4가 되어 뺄셈식이 성립하지 않으므로 ☆은 3입니다. ☆이 3일 때 ♡는 4 또는 5이고 ♡=5일 때 성립하므로 △=7입니다.

01  1243
02  1, 3 / 1, 1, 4, 3 / 1, 1, 4, 4, 3
03  1, 2 / 1, 1, 1, 2 / 1, 1, 1, 2, 1, 2
04  754          05  880
06  944          07  1414
08  1155         09  1317
10  780          11  1654
12  966          13  1413
14  645          15  1365

### 사고력 기르기 　Step 1 | 38쪽

01  6, 3, 8          02  7, 7, 8
03  5, 8, 7          04  4, 7, 1
05  3, 5, 4          06  4, 2, 2
07  5, 9, 1, 3       08  8, 4, 1, 2
09  6, 7, 1, 4       10  6, 2, 8
11  7, 6, 9          12  5, 1, 6
13  7, 5, 1
14  777, 999, 888, 444
15  268, 694, 410, 552, 481
16  434, 623, 497, 371, 245
17  9

10  받아올림에 주의하여 각 모양이 나타내는 숫자를 구합니다.

15  대각선끼리도 세 수의 합은 같습니다.

17  ♡가 가장 큰 수 일 때

```
  ♡ 7 3
+ 3 7 ♡
─────────
1 3 5 2
```
➡ ♡=9가 되어 성립하고 ♡가 가장 작은 수이거나 중간 수일 때는 식이 성립하지 않습니다.

### 사고력 기르기 　Step 2 | 40쪽

01  4, 6, 7, 0, 2 / 4, 6, 8, 0, 3 / 4, 6, 9, 0, 4 / 4, 7, 8, 1, 3 / 4, 7, 9, 1, 4 / 4, 8, 9, 2, 4
02  5, 6, 7, 1, 3 / 5, 6, 8, 1, 4 / 5, 6, 9, 1, 5 / 5, 7, 8, 2, 4 / 5, 7, 9, 2, 5 / 5, 8, 9, 3, 5
03  3, 4, 9, 1, 1 / 3, 5, 9, 1, 2 / 3, 6, 9, 1, 3 / 3, 7, 9, 1, 4 / 3, 8, 9, 1, 5
04  3, 6, 9, 9, 6, 3 / 4, 6, 8, 8, 6, 4 / 5, 6, 7, 7, 6, 5
05  5, 7, 9, 9, 7, 5 / 6, 7, 8, 8, 7, 6
06  7, 8, 9, 9, 8, 7

01  ♡는 **4** 또는 **5**이고 ♡가 **5**일 때는 식이 성립하지 않으므로 ♡는 **4**입니다. ♡가 **4**일 때 ☆은 **6** 이상이어야 식이 성립합니다.

03  ♡는 **3** 또는 **4**이고 ♡가 **4**일 때 합은 적어도 **456+963=1419**이므로 식이 성립하지 않습니다. 따라서 ♡는 **3**입니다.

04  △와 ♡의 합이 **12**가 되는 경우를 생각합니다.

05  △와 ♡의 합이 **14**가 되는 경우를 생각합니다.

06  △와 ♡의 합이 **16**이 되는 경우를 생각합니다.

### 실력 점검 　| 42쪽

01  1, 2 / 1, 1, 6, 2 / 1, 1, 6, 6, 2
02  1, 3 / 1, 1, 4, 3 / 1, 1, 1, 2, 4, 3
03  770          04  932
05  883          06  1123
07  1617         08  1103
09  430          10  1230
11  972          12  1210
13  841          14  1025
15  8, 5, 9       16  7, 5, 8
17  8, 6, 3
18  5, 6, 7, 1, 3 / 5, 6, 8, 1, 4 / 5, 6, 9, 1, 5 / 5, 7, 8, 2, 4 / 5, 7, 9, 2, 5 / 5, 8, 9, 3, 5

**15** 받아올림에 주의하여 각 모양이 나타내는 숫자를 구합니다.

**18** ♥는 **5** 또는 **6**이고 ♥가 **6**일 때는 식이 성립하지 않으므로 ♥는 **5**입니다.

**16** 백의 자리와 십의 자리에서 받아내림이 있어야 하므로 ☆=**3**, ♥는 **4**, **5**, **6**, **7**, **8**, **9**입니다. ♥가 **4** 또는 **9**일 때는 서로 다른 모양은 서로 다른 숫자라는 조건에 맞지 않으므로 ♥는 **5**, **6**, **7**, **8**입니다.

---

### 개념 06 받아내림이 2번 있는 (세 자리 수) −(세 자리 수)의 계산 | 44쪽

| | | | |
|---|---|---|---|
| **01** 154 | | **02** 148 | |

**03** 2, 10, 9 / 4, 12, 10, 5, 9 / 4, 12, 10, 3, 5, 9

**04** 4, 10, 9 / 5, 14, 10, 5, 9 / 5, 14, 10, 3, 5, 9

| | | |
|---|---|---|
| **05** 159 | **06** 263 |
| **07** 186 | **08** 389 |
| **09** 269 | **10** 277 |
| **11** 476 | **12** 249 |
| **13** 246 | **14** 325 |
| **15** 569 | **16** 248 |

---

### 사고력 기르기 Step 1 | 46쪽

| | | |
|---|---|---|
| **01** 3, 5, 5 | **02** 5, 4, 2 |
| **03** 4, 8, 3 | **04** 4, 6, 9 |
| **05** 9, 8, 6 | **06** 5, 4, 9 |
| **07** 7, 6, 7 | **08** 6, 5, 2 |
| **09** 8, 9, 6 | **10** 5, 9, 2 |
| **11** 2, 5, 1 | **12** 1, 9, 4 |
| **13** 2, 5, 9 | **14** 1, 4, 7 |
| **15** 2, 6, 7 | |

**16** 5, 3, 8, 9 / 6, 3, 7, 9 / 7, 3, 6, 9 / 8, 3, 5, 9

**17** 2, 3, 9, 6 / 4, 3, 7, 6 / 7, 3, 4, 6 / 9, 3, 2, 6

**18** 0, 5, 4, 7 / 2, 5, 6, 7 / 4, 5, 8, 7

---

### 사고력 기르기 Step 2 | 48쪽

| | | |
|---|---|---|
| **01** 222, 111 | **02** 123, 246 |
| **03** 333, 144 | **04** 75, 222 |
| **05** 242, 89 | |

**06** 0, 1, 0, 4 / 1, 1, 1, 4 / 2, 1, 2, 4 / 3, 1, 3, 4 / 4, 1, 4, 4 / 5, 1, 5, 4 / 6, 1, 6, 4 / 7, 1, 7, 4 / 8, 1, 8, 4 / 9, 1, 9, 4

**07** 0, 3, 1, 4 / 1, 3, 2, 4 / 2, 3, 3, 4 / 3, 3, 4, 4 / 4, 3, 5, 4 / 5, 3, 6, 4 / 6, 3, 7, 4 / 7, 3, 8, 4 / 8, 3, 9, 4

**01** ♥와 ☆의 합은 **700**−**367**=**333**이고 ♥=☆+☆이므로 ♥+☆=☆+☆+☆=**333**입니다. **333**=**111**+**111**+**111**에서 ☆=**111**이고 ♥=**111**+**111**=**222**입니다.

**02** ♥와 ☆의 합은 **800**−**431**=**369**이고 ☆=♥+♥이므로 ♥+☆=♥+♥+♥=**369**입니다. **369**=**123**+**123**+**123**에서 ♥=**123**이고 ☆=**123**+**123**=**246**입니다.

**03** ♥+♥=**915**−**249**=**666**이므로 ♥=**333**입니다.
따라서 ☆=**333**−**189**=**144**입니다.

**06** 받아내림이 **2**번 있으므로 십의 자리끼리의 차의 결과가 **9**가 되려면 십의 자리에 놓인 숫자는 같아야 합니다.

**07** 받아내림이 **2**번 있으므로 십의 자리끼리의 차가 **8**이 되려면 십의 자리에 놓인 숫자의 차는 **1**이 되어야 합니다.

01 Ⅰ, 10, 8 / 3, 11, 10, 6, 8 / 3, 11, 10, 2, 6, 8
02 4, 10, 6 / 5, 14, 10, 7, 6 / 5, 14, 10, 3, 7, 6
03 79
04 147
05 382
06 379
07 367
08 485
09 179
10 108
11 289
12 28
13 274
14 285
15 3, 5, 2
16 4, 4, 3
17 5, 8, 6
18 8, 6, 7
19 6, 7, 1
20 9, 9, 7
21 4, 3, 8, 6 / 5, 3, 7, 6 / 7, 3, 5, 6 / 8, 3, 4, 6
22 222, 111
23 122, 244

21 백의 자리와 십의 자리에서 받아내림이 있어야 하므로 ☆=3, ♥는 3, 4, 5, 6, 7, 8, 9입니다. ♥가 3 또는 6 또는 9일 때는 서로 다른 모양은 서로 다른 숫자라는 조건에 맞지 않으므로 ♥는 4, 5, 7, 8입니다.

22 ♥와 ☆의 합은 600−267=333이고 ♥=☆+☆이므로 ♥+☆=☆+☆+☆=333입니다. 333=111+111+111에서 ☆=111이고 ♥=111+111=222입니다.

23 ♥와 ☆의 합은 900−534=366이고 ☆=♥+♥이므로 ♥+☆=♥+♥+♥=366입니다.
366=122+122+122에서 ♥=122이고 ☆=122+122=244입니다.

01 3, 12, 3
02 6, 30, 6
03 4, 24, 4
04 6, 6
05 7, 7
06 8, 8
07 5, 5
08 4, 4
09 9, 9
10 4, 4
11 6, 6
12 8, 8
13 5, 5
14 9, 9

사고력 기르기 Step 1 | 54쪽

01 8
02 5
03 72
04 63
05 48
06 28
07 20
08 27
09 2, 6 / 3, 4 / 4, 3 / 6, 2
10 2, 8 / 4, 4 / 8, 2
11 2, 9 / 3, 6 / 6, 3 / 9, 2
12 3, 8 / 4, 6 / 6, 4 / 8, 3
13 4, 9 / 6, 6 / 9, 4
14 5, 9 / 9, 5

사고력 기르기 Step 2 | 56쪽

01 24♥8=(24÷6)×(8÷2)=16
02 48♥6=(48÷6)×(6÷2)=24
03 30♥4=(30÷6)×(4÷2)=10
04 54♥16=(54÷6)×(16÷2)=72
05 ⑴ 6, 20, 5, 1 ⑵ 6, 20, 4, 1
06 15, 24, 8, 12
07 7, 9, 5
08 8, 9, 3
09 4, 5, 4
10 7, 3, 7
11 5, 7, 8
12 6, 7, 9

## 실력 점검 | 58쪽

| | |
|---|---|
| 01 4, 4 | 02 9, 9 |
| 03 6, 6 | 04 7, 7 |
| 05 5, 5 | 06 7, 7 |
| 07 2, 2 | 08 6, 6 |
| 09 5, 5 | 10 3, 3 |
| 11 6, 6 | 12 45 |
| 13 48 | 14 30 |
| 15 63 | 16 6, 5, 5 |
| 17 5, 7, 3 | 18 7, 5, 9 |

## 개념 08 (몇십)×(몇), (몇백)×(몇), (몇천)×(몇)의 계산 | 60쪽

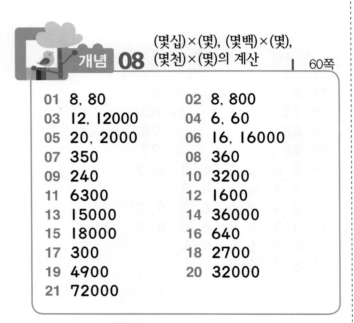

| | |
|---|---|
| 01 8, 80 | 02 8, 800 |
| 03 12, 12000 | 04 6, 60 |
| 05 20, 2000 | 06 16, 16000 |
| 07 350 | 08 360 |
| 09 240 | 10 3200 |
| 11 6300 | 12 1600 |
| 13 15000 | 14 36000 |
| 15 18000 | 16 640 |
| 17 300 | 18 2700 |
| 19 4900 | 20 32000 |
| 21 72000 | |

## 사고력 기르기 Step 1 | 62쪽

01 1, 1 / 2, 2 / 3, 3 / 4, 4
02 1, 1 / 2, 2 / 3, 3 / 4, 4 / 5, 5
03 9, 9 / 8, 8 / 7, 7
04 9, 9 / 8, 8 / 7, 7 / 6, 6
05 9, 9 / 8, 8 / 7, 7 / 6, 6 / 5, 5
06 2, 5, 1 / 4, 5, 2 / 6, 5, 3 / 8, 5, 4 / 5, 2, 1 / 5, 4, 2 / 5, 6, 3 / 5, 8, 4

| | |
|---|---|
| 07 8, 240 | 08 6, 420 |
| 09 9, 3600 | 10 6, 1200 |
| 11 6 | 12 3 |

## 사고력 기르기 Step 2 | 64쪽

01 3, 7, 2, 1 / 3, 9, 2, 7 / 7, 3, 2, 1 / 7, 9, 6, 3 / 9, 3, 2, 7 / 9, 7, 6, 3
02 9, 8, 7, 2 / 9, 6, 5, 4 / 8, 9, 7, 2 / 8, 7, 5, 6 / 7, 8, 5, 6 / 6, 9, 5, 4
03 1, 3, 5, 1, 5 / 1, 4, 7, 2, 8 / 1, 5, 9, 4, 5 / 2, 3, 4, 2, 4 / 2, 4, 6, 4, 8 / 2, 5, 8, 8, 0
04 1, 3, 5, 1, 5 / 1, 4, 7, 2, 8 / 1, 5, 9, 4, 5 / 2, 3, 4, 2, 4 / 2, 4, 6, 4, 8 / 2, 5, 8, 8, 0

01 ♥와 △는 모두 홀수이어야 합니다. 각각의 모양은 서로 다른 숫자임에 유의합니다.

02 9의 단부터 시작하여 50이 넘는 경우를 찾아봅니다. 각각의 모양은 서로 다른 숫자임에 유의합니다.

## 실력 점검 | 66쪽

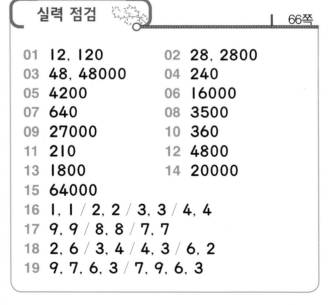

| | |
|---|---|
| 01 12, 120 | 02 28, 2800 |
| 03 48, 48000 | 04 240 |
| 05 4200 | 06 16000 |
| 07 640 | 08 3500 |
| 09 27000 | 10 360 |
| 11 210 | 12 4800 |
| 13 1800 | 14 20000 |
| 15 64000 | |
| 16 1, 1 / 2, 2 / 3, 3 / 4, 4 | |
| 17 9, 9 / 8, 8 / 7, 7 | |
| 18 2, 6 / 3, 4 / 4, 3 / 6, 2 | |
| 19 9, 7, 6, 3 / 7, 9, 6, 3 | |

19 9의 단 부터 시작하여 40보다 큰 홀수를 찾아봅니다. 각각의 모양은 서로 다른 숫자임에 유의 합니다.

**03** △×☆=☆이므로 △=**1**입니다.

**05** ♥×☆=☆이므로 ♥=**1**입니다.

---

### 개념 **09**  올림이 없는 (몇십몇)×(몇)의 계산  | 68쪽

| | |
|---|---|
| **01** (1) **22** (2) **22** | **02** (1) **63** (2) **63** |
| **03** (1) **96** (2) **96** | **04** 40, 8 / **48** |
| **05** 90, 9 / **99** | **06** 40, 8 / **48** |
| **07** **77** | **08** **28** |
| **09** **69** | **10** **62** |
| **11** **84** | **12** **64** |
| **13** **48** | **14** **88** |
| **15** **84** | **16** **26** |
| **17** **66** | **18** **46** |

---

### 실력 점검  | 74쪽

| | |
|---|---|
| **01** 70, 7 / **77** | **02** 60, 9 / **69** |
| **03** 30, 6 / **36** | **04** **26** |
| **05** **66** | **06** **28** |
| **07** **96** | **08** **88** |
| **09** **62** | **10** **24** |
| **11** **84** | **12** **93** |
| **13** **48** | **14** **99** |
| **15** **88** | |

**16** 1, 2, 2, 6 / 2, 2, 4, 6 / 3, 2, 6, 6 /
4, 2, 8, 6 / 1, 3, 3, 9 / 2, 3, 6, 9 /
3, 3, 9, 9

**17** 1, 1, 2, 2, 2 / 1, 1, 3, 3, 3 / 1, 1, 4,
4, 4 / 1, 1, 5, 5, 5 / 1, 1, 6, 6, 6 /
1, 1, 7, 7, 7 / 1, 1, 8, 8, 8 / 1, 1, 9,
9, 9

**18** 3, 2, 2, 6, 4 / 4, 2, 2, 8, 4 / 2, 3,
3, 6, 9

**17** ♥×☆=☆이므로 ♥=**1**입니다.

**18** △는 **2** 또는 **3**입니다. 서로 다른 모양은 서로
다른 숫자임에 유의합니다.

---

### 사고력 기르기  **Step 1** | 70쪽

**01** 0, 2, 6, 0 / 0, 3, 9, 0 / 1, 2, 6, 2 /
1, 3, 9, 3 / 2, 2, 6, 4 / 2, 3, 9, 6 /
3, 2, 6, 6 / 3, 3, 9, 9 / 4, 2, 6, 8

**02** 1, 2, 2, 4 / 1, 3, 3, 6 / 1, 4, 4, 8 /
2, 2, 4, 4 / 2, 3, 6, 6 / 2, 4, 8, 8 /
3, 2, 6, 4 / 3, 3, 9, 6 / 4, 2, 8, 4

**03** 1, 1, 4 / 4, 4, 1

**04** 1, 1, 6 / 2, 2, 3 / 3, 3, 2 / 6, 6, 1

**05** 1, 1, 8 / 2, 2, 4 / 4, 4, 2 / 8, 8, 1

**06** 1, 1, 9 / 9, 9, 1

---

### 사고력 기르기  **Step 2** | 72쪽

**01** 1, 22, 2, 11 / 1, 66, 3, 22 / 1, 33,
3, 11 / 1, 66, 6, 11 / 1, 44, 2, 22 /
1, 77, 7, 11 / 1, 44, 4, 11 / 1, 88,
2, 44 / 1, 55, 5, 11 / 1, 88, 4, 22 /
1, 66, 2, 33 / 1, 88, 8, 11 / 1, 99,
3, 33 / 1, 99, 9, 11

**02** 2, 2, 3, 6, 6 / 2, 2, 4, 8, 8 / 3, 3,
2, 6, 6 / 4, 4, 2, 8, 8

**03** 2, 1, 3, 6, 3 / 2, 1, 4, 8, 4 / 3, 1,
2, 6, 2 / 4, 1, 2, 8, 2

**04** 2, 3, 2, 4, 6 / 3, 2, 3, 9, 6

**05** 1, 2, 3, 3, 6 / 1, 2, 4, 4, 8 / 1, 3,
2, 2, 6 / 1, 4, 2, 2, 8

| | | | |
|---|---|---|---|
| 01 | (1) 159 (2) 159 | 02 | (1) 92 (2) 92 |
| 03 | 180, 6 / 186 | 04 | 40, 14 / 54 |
| 05 | 208 | 06 | 128 |
| 07 | 355 | 08 | 84 |
| 09 | 95 | 10 | 76 |
| 11 | 168 | 12 | 96 |
| 13 | 306 | 14 | 75 |
| 15 | 246 | 16 | 58 |
| 17 | 219 | 18 | 74 |

**사고력 기르기** Step 1 | 78쪽

| | | | |
|---|---|---|---|
| 01 | 3, 5 | 02 | 4, 9 |
| 03 | 2, 7 | 04 | 2, 6 |
| 05 | 4, 2 | 06 | 3, 1, 2 |
| 07 | 7, 2, 1 | 08 | 8, 3, 2 |
| 09 | 9, 3, 2 | 10 | 1, 4 |
| 11 | 2, 9 | 12 | 2, 7 |
| 13 | 1, 2, 3 / 3, 2, 7 / 4, 2, 9 / 1, 4, 6 / 1, 6, 9 | | |
| 14 | 1, 2, 3 / 3, 2, 7 / 4, 2, 9 | | |
| 15 | 5, 2, 1, 0 / 7, 2, 1, 4 / 8, 2, 1, 6 / 9, 2, 1, 8 | | |

**10** 두 번째 곱셈식에서 △=4를 먼저 구합니다.

**13** 일의 자리에서 올림이 있습니다.

**14** 일의 자리에서 올림이 있습니다.

**15** 십의 자리에서 올림이 있습니다.

**사고력 기르기** Step 2 | 80쪽

| | |
|---|---|
| 01 | 5, 2, 0 / 6, 2, 2 / 7, 2, 4 / 8, 2, 6 / 9, 2, 8 |
| 02 | 0, 3, 0 / 1, 3, 3 / 2, 3, 6 / 3, 3, 9 |
| 03 | 128        04   5 |
| 05 | 7 |
| 06 | 2, 2, 1, 8, 4 / 3, 3, 2, 7, 9 |
| 07 | 2, 2, 1, 6, 4 / 3, 3, 2, 4, 9 |
| 08 | 3, 3, 2, 1, 9 |
| 09 | 3, 3, 1, 8, 9 |
| 10 | 2, 2, 1, 0, 4 / 3, 3, 1, 5, 9 |
| 11 | 3, 3, 1, 2, 9 |

**03** 위쪽 두 수의 곱에 가운데 수를 더하는 규칙입니다.

**실력 점검** | 82쪽

| | | | |
|---|---|---|---|
| 01 | 120, 9 / 129 | 02 | 60, 18 / 78 |
| 03 | 248 | 04 | 153 |
| 05 | 146 | 06 | 81 |
| 07 | 78 | 08 | 75 |
| 09 | 124 | 10 | 58 |
| 11 | 208 | 12 | 72 |
| 13 | 189 | 14 | 85 |
| 15 | 216 | 16 | 72 |
| 17 | 3, 8 | 18 | 3, 7 |
| 19 | 2, 7 | 20 | 8, 2, 1 |
| 21 | 6, 3, 1 | 22 | 8, 3, 2 |
| 23 | 1, 2, 3 / 3, 2, 7 / 4, 2, 9 | | |
| 24 | 1, 2 | | |
| 25 | 2, 8 | | |

**24** 두 번째 곱셈식에서 △=2를 먼저 구합니다.

| | |
|---|---|
| **01** 12, 14, 134 | **02** 15, 20, 170 |
| **03** 240, 12 / 252 | **04** 210, 18 / 228 |
| **05** 125 | **06** 266 |
| **07** 252 | **08** 156 |
| **09** 270 | **10** 380 |
| **11** 264 | **12** 112 |
| **13** 195 | **14** 172 |
| **15** 432 | **16** 192 |
| **17** 365 | **18** 552 |

## 사고력 기르기

Step 1 | 86쪽

| | |
|---|---|
| **01** 5, 2, 4 | **02** 6, 1, 3 |
| **03** 7, 5, 1 | **04** 4, 7 |
| **05** 8, 5 | **06** 6, 6 |

**07** 3, 7, 3, 7 / 7, 3, 1, 7 / 9, 9, 5, 3
**08** 1, 5, 2, 0 / 3, 5, 2, 1 / 5, 3, 1, 3 /
5, 5, 2, 2 / 5, 7, 3, 1 / 5, 9, 4, 0 /
7, 5, 2, 3 / 9, 5, 2, 4

| | |
|---|---|
| **09** 454 | **10** 302 |
| **11** 6 | **12** 7 |
| **13** 8 | **14** 6 |
| **15** 7 | |

**09** 위쪽 원 안의 수들의 곱과 아래쪽 원 안의 수들의 곱을 더해 □ 안에 쓰는 규칙입니다.

**11** 빈 곳의 수를 □라 하면
□×36=76×4−520=216,
□=6입니다.

## 사고력 기르기

Step 2 | 88쪽

**01** 4, 6, 2 / 9, 6, 5 / 2, 7, 6
**02** 8, 7, 3 / 2, 8, 3 / 7, 8, 7 / 4, 9, 9
**03** 8, 6, 2 / 4, 7, 3 / 1, 8, 4 / 6, 8, 8 /
2, 9, 8

| | |
|---|---|
| **04** 9 | **05** 63 |
| **06** 48 | **07** 5 |
| **08** 36 | **09** 24 |

**01** ☆은 **6** 또는 **7**이 될 수 있으므로 ☆이 **6**인 경우와 **7**인 경우를 각각 생각합니다.

**02** ☆은 **7** 또는 **8** 또는 **9**가 될 수 있습니다.

**03** ☆은 **6, 7, 8, 9**로 생각할 수 있습니다.

**04** 72×8=♥×64에서 ♥=**9**입니다.
(÷8, ×8)

## 실력 점검

| 90쪽

| | |
|---|---|
| **01** 120, 16 / 136 | **02** 120, 14 / 134 |
| **03** 141 | **04** 324 |
| **05** 441 | **06** 144 |
| **07** 228 | **08** 320 |
| **09** 174 | **10** 296 |
| **11** 260 | **12** 136 |
| **13** 196 | **14** 460 |
| **15** 216 | **16** 406 |
| **17** 5, 2, 4 | **18** 4, 7 |
| **19** 7, 6 | **20** 4, 8, 7 |
| **21** 3, 8 | **22** 3, 6, 5 |

**23** 3, 7, 4, 4 / 7, 3, 2, 0 / 9, 9, 6, 2
**24** 1, 3, 2, 4 / 7, 9, 7, 8 / 9, 7, 6, 2
**25** 4, 6, 6 / 9, 6, 9 / 2, 7, 9

**25** ☆은 **6** 또는 **7**이 될 수 있으므로 ☆이 **6**인 경우와 **7**인 경우를 각각 생각합니다.

## 개념 12 길이의 합과 차    | 92쪽

| | |
|---|---|
| 01 10, 7 | 02 8, 35 |
| 03 10, 700 | 04 3, 7 |
| 05 5, 75 | 06 3, 700 |
| 07 9 cm 3 mm | 08 6 cm 7 mm |
| 09 8 m 15 cm | 10 5 m 80 cm |
| 11 10 km | 12 5 km 750 m |
| 13 10 cm 5 mm | 14 4 cm 4 mm |
| 15 15 m 20 cm | 16 4 m 80 cm |
| 17 7 km 400 m | 18 4 km 900 m |

## 사고력 기르기     Step 1 | 94쪽

| | |
|---|---|
| 01 52, 6 | 02 8, 46 |
| 03 66, 6 | 04 76, 7 |
| 05 66, 48 | 06 84, 48 |
| 07 185, 56 | 08 73, 259 |
| 09 16, 649 | 10 499, 52 |
| 11 738, 128 | 12 419, 398 |
| 13 52, 5 | 14 73, 8 |
| 15 5, 15 | 16 6, 28 |
| 17 84, 28 | 18 72, 45 |
| 19 17, 84 | 20 19, 257 |
| 21 12, 159 | 22 55, 244 |
| 23 243, 125 | 24 185, 338 |

## 사고력 기르기     Step 2 | 96쪽

| | |
|---|---|
| 01 90, 90 | 02 1, 60 |
| 03 42 | 04 55 |
| 05 47 | 06 100 |

07 1, 38, 2, 70, 4, 8 / 1, 38, 3, 85, 5, 23 / 2, 70, 3, 85, 6, 55 / 2, 70, 1, 38, 1, 32 / 3, 85, 2, 70, 1, 15 / 3, 85, 1, 38, 2, 47 / 1, 38, 2, 70, 3, 85, 23 / 1, 38, 3, 85, 2, 70, 2, 53 / 2, 70, 3, 85, 1, 38, 5, 17 / 1, 38, 2, 70, 3, 85, 7, 93

03 m끼리의 합이 $52+18=70$ (m)이므로 $43+\heartsuit>100$이어야 합니다.
따라서 $\heartsuit$는 58부터 99까지 될 수 있으므로 $99-57=42$(개)입니다.

05 km끼리의 차가 $13-9=4$ (km)이므로 조건을 만족하려면 받아내림이 있어야 합니다.
따라서 $\heartsuit$는 953부터 999까지 될 수 있으므로 $999-952=47$(개)입니다.

## 실력 점검     | 98쪽

| | |
|---|---|
| 01 11 cm 2 mm | 02 10 cm |
| 03 10 m 20 cm | 04 16 m 10 cm |
| 05 8 km 50 m | 06 13 km 400 m |
| 07 2 cm 7 mm | 08 4 cm 7 mm |
| 09 1 m 85 cm | 10 3 m 90 cm |
| 11 2 km 750 m | 12 4 km 750 m |
| 13 13 cm 3 mm | 14 7 cm 9 mm |
| 15 10 m 40 mm | 16 5 m 65 cm |
| 17 12 km 450 m | 18 5 km 800 m |
| 19 44, 6 | 20 7, 51 |
| 21 760, 120 | 22 415, 520 |
| 23 49, 8 | 24 66, 9 |
| 25 13, 160 | 26 58, 830 |
| 27 39 | 28 49 |
| 29 29 | |

27 m끼리의 합이 $63+17=80$ (m)이므로 $40+\heartsuit>100$이어야 합니다.
따라서 $\heartsuit$는 61부터 99까지 될 수 있으므로 $99-60=39$(개)입니다.

29 km끼리의 차가 $15-8=7$ (km)이므로 조건을 만족하려면 받아내림이 있어야 합니다.
따라서 $\heartsuit$는 971부터 999까지 될 수 있으므로 $999-970=29$(개)입니다.

| | | | |
|---|---|---|---|
| 01 | 1, 40, 50 | 02 | 5, 5, 10 |
| 03 | 11, 15 | 04 | 2, 50 |
| 05 | 4시 25분 50초 | 06 | 3시간 15분 10초 |
| 07 | 9시 10분 55초 | 08 | 4시 4분 55초 |
| 09 | 10시간 1분 20초 | 10 | 4시 54분 40초 |
| 11 | 5시 43분 47초 | 12 | 7시 41분 20초 |
| 13 | 6시간 16분 15초 | 14 | 2시간 15분 15초 |
| 15 | 3시 19분 55초 | 16 | 2시간 39분 30초 |

## 사고력 기르기

Step 1 | 102쪽

| | | | |
|---|---|---|---|
| 01 | 40, 1, 4 | 02 | 36, 3, 5 |
| 03 | 4, 39, 22 | 04 | 5, 38, 20 |
| 05 | 30, 3, 39 | 06 | 26, 5, 21 |
| 07 | 50, 20, 7 | 08 | 34, 42, 9 |
| 09 | 6, 47, 26 | 10 | 8, 52, 42 |
| 11 | 36, 2, 59 | 12 | 39, 4, 36 |
| 13 | 7, 50, 46 | 14 | 8, 40, 47 |
| 15 | 28, 45, 3 | 16 | 42, 36, 6 |
| 17 | 31, 1, 34 | 18 | 20, 3, 57 |
| 19 | 5, 52, 38 | 20 | 9, 35, 41 |
| 21 | 8, 2, 47 | 22 | 33, 5, 54 |
| 23 | 8, 27, 30 | 24 | 7, 31, 36 |

## 사고력 기르기

Step 2 | 104쪽

| | | | |
|---|---|---|---|
| 01 | 1, 35 | 02 | 2, 13 |
| 03 | 1, 15 | 04 | 2, 55 |
| 05 | 8, 10 | 06 | 2, 52 |
| 07 | 12, 22 | 08 | 5, 33 |
| 09 | 29, 18, 51, 46 | 10 | 6, 49, 3, 51 |
| 11 | 42, 28, 3, 4 | | |

01 11시간 35분−3시간 36분−6시간 24분
=1시간 35분

03 9시 33분−5시 30분−2시간 48분
=1시간 15분

05 4시 6분+1시간 25분+2시간 39분
=8시 10분

06 10시 18분−4시간 30분−2시 56분
=2시간 52분

07 8시간 5분+6시간 36분−2시간 19분
=12시간 22분

08 6시 47분−3시 24분+2시간 10분
=5시간 33분

09 ♡→☆→□→△의 순서로 구해봅니다.

10 ☆→□→♡→△의 순서로 구해봅니다.

11 ♡→☆→△→□의 순서로 구해봅니다.

## 실력 점검

| 106쪽

| | | | |
|---|---|---|---|
| 01 | 4시 1분 10초 | 02 | 4시간 4분 45초 |
| 03 | 6시 10분 55초 | 04 | 3시 54분 40초 |
| 05 | 9시간 46분 35초 | 06 | 2시간 55분 15초 |
| 07 | 3시 56분 15초 | 08 | 8시 16분 5초 |
| 09 | 5시간 36분 30초 | 10 | 5시간 49분 45초 |
| 11 | 4시 19분 50초 | 12 | 4시간 54분 45초 |
| 13 | 42, 1, 9 | 14 | 41, 4, 3 |
| 15 | 50, 30, 8 | 16 | 34, 42, 7 |
| 17 | 5, 50, 50 | 18 | 8, 40, 54 |
| 19 | 31, 1, 44 | 20 | 6, 2, 45 |
| 21 | 35, 27, 57, 48 | | |

21 ♡→☆→□→△의 순서로 구해봅니다.

Memo

# 초등 왕수학 시리즈

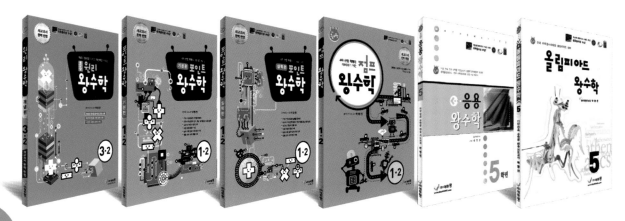

| 초등 왕수학 시리즈 | 원리 왕수학 | 포인트 왕수학 | | 점프 왕수학 | 응용 왕수학 | 올림피아드 왕수학 |
|---|---|---|---|---|---|---|
| | | 기본편 | 실력편 | | | |
| 구성 | • 초등 1~6학년<br>• 학기용 (1, 2학기) | • 초등 1~6학년<br>• 학기용 (1, 2학기) | • 초등 1~6학년<br>• 학기용 (1, 2학기) | • 초등 1~6학년<br>• 학기용 (1, 2학기) | • 초등 3~6학년<br>• 연간용 | • 초등 3~6학년<br>• 연간용 |
| 특징 | • 휘리릭 원리를 깨치는<br>"예습 학습 교재" | • 차근차근 익히는<br>"교과개념 학습 교재" | • 빈틈없이 다지는<br>"실력 UP 교재" | • 상위 15% 수준의<br>난이도 높은 교재 | • 상위 3% 순준의<br>"영역별 경시대비서" | • "수학 올림피아드 기출<br>및 예상문제집" |

| 꼭 알아야 할 수학 시리즈 | 사고력 연산 | 수학 문장제 | 도형 | 수와 연산 | 수학 서술형 |
|---|---|---|---|---|---|
| 구성 | • 초등 1~2학년(단권)<br>• 초등 3~6학년(상·하권) | • 초등 1~6학년<br>• 연간용 | • 초등 2~6학년<br>• 연간용 | • 초등 1~6학년<br>• 연간용 | • 초등 3~6학년<br>• 학기용 (1, 2학기) |
| 특징 | • 연산 능력과 사고력 향상을<br>위한 교재 | • 문제해결력 향상을 위한 유<br>형별 문장제 교재 | • 도형의 개념부터 응용까지<br>도형영역 집중학습 교재 | • 수연산 영역의 반복학습을<br>통한 계산능력 향상 교재 | • 단원별 출제빈도가 높은 서<br>술형 학교시험 대비 교재 |

## 꼭알 시리즈

### 수와 연산

수학의 기초인 수와 연산을 이해하여 빠르고
정확한 계산 능력을 키울 수 있는 교재입니다.

1~6학년(학년용)

### 사고력 연산

기초 연산 능력을 향상시키는 동시에 다양한
사고를 통해 연산을 함으로써 지루함 없이 재
미를 느낄 수 있도록 구성한 교재입니다.

1~2학년(단권) / 3~6학년(상·하권)

### 수학 문장제

각 학년별로 나올 수 있는 문장제 문제를 유형
별로 학습하여 문제 해결력을 증진하고, 사고
력을 높일 수 있는 교재입니다.

1~6학년(학년용)

### 도형

각 학년별 도형에 대한 개념을 이해하고 다양
한 문제를 통하여 문제 해결력과 사고력을 높
일 수 있는 교재입니다.

2~6학년(학년용)

### 수학 서술형

각 단원별로 학교 시험에 자주 출제되는 서술
형 문제를 제시된 표준 풀이 과정과 함께 학습
하면서 자연스럽게 문제 해결 방법이 익혀지도
록 구성된 교재입니다.

3~6학년(1·2학기용)

63410

9788925921631
ISBN 978-89-259-2163-1

정가 10,000원

제조국 대한민국
KC마크는 이 제품
이 공통안전기준에
적합하였음을 의미합니다.

펴낸곳 (주)에듀왕 | 펴낸이 박명전

주소 경기도 파주시 광탄면 세류길 101

출판신고 제 406-2007-00046호 | 내용문의 070-4861-4899

파본은 구입처에서 교환해 드립니다.

3학년이 꼭 √ 알아야 한

사고력 연산

상권